1 漢字・語句①

熟語の構成・類義語・対義語

1 熟語の構成

二字熟語の構成は、主に次の六つに分けられる。

①似ている意味の字を重ねたもの　例 尊敬・絵画
②反対の意味の字を重ねたもの　例 得失・強弱
③上の字が下の字を修飾しているもの　例 生
④上が動作、下が目的や対象の字になっているもの　例 作
⑤主語・述語の関係になっているもの　例 人
⑥否定の語が上についているもの　例 不

2 類義語

意味が似た言葉を「類義語」という。使われる文脈によって微妙な意味の違いはあるが、よく似た意味の言葉である。

例 「熱意」と「情熱」、「有名」と「著名」、「終生」と「一生」

3 対義語

意味が反対の言葉や対立的・対照的に使われる言葉を「対義語」という。

例 「主観」と「客観」、「保守」と「革新」、「偶然」と「必然」

入試得点アップ

熟語の構成

・⑥上につく漢字は、「不」「無」「未」「非」が多い。
・この他に「状態を表す接尾語のついたもの」「同じ字を重ねたもの」「長い言葉を省略したもの」もある。
例 天性・公的
例 人々・口々
例 国連（国際連合の略）

類義語

・微妙に意味の異なる「類義語」と、まったく同じ意味の「同義語」がある。
同義語の例 「本」と「書物」、「走る」と「駆ける」

対義語

・その他の対義語。
「軽視」と「重視」・「理想」と「現実」
「積極」と「消極」・「単純」と「複雑」
「生産」と「消費」・「全体」と「部分」
「権利」と「義務」・「拡大」と「縮小」

入試重要ポイントTOP3

熟語の構成　漢字相互の関係を考え、意味を類推することが大切。

類義語　意味がよく似ているので、違いを知り、適切な使い方を理解することが大切。

対義語　ある言葉の対義語を考えることで、その言葉の意味を理解することができる。

[　月　日]

サクッと確認

①「善行」と同じ構成の熟語　ア 黒板　イ 除雪　ア
②「断続」と同じ構成の熟語　ア 読書　イ 利害　イ
③「同意」の類義語　ア 賛成　イ 意外　ア
④「命中」の類義語　ア 最中　イ 的中　イ
⑤「模倣」の対義語　ア 創造　イ 予想　ア
⑥「集合」の対義語　ア 解散　イ 分解　ア
⑦「絶対」の対義語　ア 客体　イ 相対　イ

やってみよう！入試問題

解答2ページ

目標時間10分　［　　］分

［　月　日］

1 次のA～Dの――線部を漢字に直したとき、「善悪」と熟語の構成が同じになるものを次から選び、その漢字を書きなさい。

A 約束の時間をげんしゅする。

B かんだんの差が激しい地域である。

C ケーキをきんとうに分ける。

D 富士山のとうちょうに成功する。

［　　］〔北海道〕

ココ注意！　まずA～Dそれぞれを漢字に直してから、熟語の構成を考える。

2 ――線部と同じ構成（成り立ち）になっている熟語をあとから選び、記号で答えなさい。

・勝利に歓喜する。

ア 匿名　イ 豊富　ウ 出納　エ 雷鳴

〔　　〕〔埼玉〕

3 （よく出る！）「関連」と同じ構成の熟語を次から選び、記号で答えなさい。

ア 売買　イ 地震　ウ 俊足　エ 規則

〔　　〕〔岐阜〕

4 「通園」と同じ構成の熟語を次から選び、記号で答えなさい。

ア 粗雑　イ 県営　ウ 盛衰　エ 遭難

〔　　〕〔静岡〕

5 「単純」の対義語を、漢字で書きなさい。

［　　］〔石川〕

6 「密疎」と構成が同じ熟語を次から選び、記号で答えなさい。

ア 公園　イ 豊富　ウ 表裏　エ 日没

〔　　〕〔長崎〕

7 「抽象」と「具体」は対義語の関係です。この関係とは異なる組み合わせを次から選び、記号で答えなさい。

ア 必然―偶然　イ 希薄―濃厚

ウ 危険―安全　エ 発想―着想

〔　　〕〔和歌山〕

8 「予想」の熟語の構成の説明として適切なものを次から選び、記号で答えなさい。

ア 上の漢字と下の漢字が似た意味を持っている。

イ 上の漢字と下の漢字が主語と述語の関係にある。

ウ 上の漢字が下の漢字を修飾している。

エ 下の漢字が上の漢字の目的や対象を示している。

〔　　〕〔兵庫〕

9 「把握」と同じ構成（組み立て）の熟語を次から選び、記号で答えなさい。

ア 思考　イ 強弱　ウ 机上　エ 着席

〔　　〕〔山口〕

漢字・語句②

2 ことわざ・慣用句・故事成語

1 ことわざ

古くから語りつがれてきた、生活の知恵や生きていく上で大切な教えを、短い文で表現したもの。比喩的なものが多い。

・良薬は口に苦し（耳の痛い忠告こそ自分のためになる）
・急がば回れ（急ぐことほど、あわてず丁寧にした方がよい）
・ぬかに釘《くぎ》（まったく効き目がないこと）

2 慣用句

二つ以上の言葉がひとまとまりになり、特別な意味を表すもの。体に関連した言葉が多く使われる。

・足が出る（予算を超える）　・手をこまねく（ただ傍観する）
・耳を傾ける（話をきちんと聞く）　・鼻が高い（自慢である）
・舌を巻く（あまりにも優れていて、ひどく驚く）

3 故事成語

主に昔の中国での出来事が簡潔な言葉でまとめられ、生きる知恵や人々の姿などを表すようになった語句。教訓的な意味を含む。

・杜撰《ずさん》（いいかげんなこと）　・朝三暮四（口先で人をごまかす）
・虎の威を借る狐（強い者に頼っていばる者のたとえ）

入試重要ポイント TOP3

ことわざ 反対の意味や同じ意味のものを合わせて覚えることが大切。

慣用句 体や日常生活の事物に関する言葉が含まれるものが多い。

故事成語 中国の故事によるものが多い。元の話と関連づけて覚えることが大切。

入試得点アップ

ことわざ

〈反対の意味を表すもの〉
・好きこそものの上手なれ
（好きであることは上達の早道だ）
↕下手の横好き
（下手なくせに熱中しがちだ）
・三人寄れば文殊の知恵
（人が集まると良い知恵が出る）
↕船頭多くして船山に登る
（人が集まると議論がまとまらない）

〈同じ意味を表すもの〉
・弘法《こうぼう》も筆の誤り＝猿も木から落ちる
（達人も失敗することがある）
・泣きっ面《つら》に蜂＝弱り目に祟《たた》り目
（よくないことはくり返す）

慣用句

〈体に関連するもの以外〉
・白紙に戻す（元の状態に戻す）
・筆を折る（書くことを途中でやめる）
・油を売る（むだ話をしてなまける）

サクッと確認

① 「ぬかに釘」と同じ意味
ア 暖簾《のれん》に腕押し
イ 提灯《ちょうちん》に釣り鐘
［ア］

② 「一石二鳥」と同じ意味
ア 一朝一夕
イ 一挙両得
［イ］

③ 「急がば回れ」と反対の意味
ア 急《せ》いては事をし損じる
イ 善は急げ
［イ］

④ 「気がおけない」の意味
ア 気楽に付き合える
イ 信用ならない
［ア］

⑤ （　）に入る漢字
1 画（　）点睛《てんせい》
2 （　）頭狗肉《くにく》
3 （　）面楚歌《そか》
4 五里（　）中
［竜］［羊］［四］［霧］

［　月　日］

やってみよう！入試問題

解答2ページ

目標時間10分　　分

〔　月　日〕

1

次の文章の内容を表すことわざをあとから選び、記号で答えなさい。

文化祭に向けて、私は合唱練習のリーダーに選ばれたのだが、これまでリーダーの経験がなく、練習をうまく引っ張っていけるかどうか心配だった。しかし、実際に練習を始めてみると、準備していたとおりに指示を出すことができ、みんなもそれに応えてくれた。そして本番では満足のいく合唱となった。

ア　案ずるより産むが易《やす》し　　イ　論より証拠

ウ　のど元過ぎれば熱さを忘れる　　エ　雨降って地固まる

〔　　〕〔鳥取〕

2

よく出る！

次の①～③について、（　）内の意味になるよう、□に当てはまる身体に関する漢字を、それぞれ一字で答えなさい。

① □が出る　（赤字になる）　□

② □をふるう　（能力を十分発揮する）　□

③ □をくくる　（覚悟を決める）　□

〔堀越高〕

3

次の――線部が慣用句となるように、（　）内に体の一部を示す言葉を漢字一字で書き、文を完成させなさい。

彼女の華麗なピアノの演奏に、クラス全員が（　）を巻いた。　□〔兵庫〕

4

次の――線部の慣用句の中で、使い方が適切なものを次から選び、記号で答えなさい。

ア　彼女とは馬が合うので、つい話し込んでしまう。

イ　すぐに反論はしないで、周りの様子を見てひとまず息をのむ。

ウ　発表会の準備を二の足を踏むように着実に進める。

エ　新人俳優は不慣れなので、演技が板につく。

〔　　〕〔福島〕

5

次の□に当てはまる言葉をあとから選び、記号で答えなさい。

小学校時代の恩師の教えを□のように心に刻み込んでいる。

ア　一意専心　　イ　謹厳実直

ウ　金科玉条　　エ　起死回生

〔　　〕〔明治大付属中野高〕

6

次の文の□に、それぞれの読みの漢字一字を入れ、四字熟語を完成させなさい。

① □《とう》奔□《せい》走して、やっと資料を集めることができた。　□　□

② 我□《でん》引□《すい》になりますが、我が社の業務を例に説明します。　□　□

〔北海道〕

3

文節・文の成分

文法①

1 文節・文の成分

意味をこわさないように、文を区切ったひと区切りを文節という。

文節が果たす役割（文の成分）には次の五つがある。

①主語…「何（だれ）が・何（だれ）は」を表す文節。

②述語…「どうする・どんなだ・何だ・ある」を表す文節。

③修飾語…他の文節の内容を詳しく説明する文節。

④接続語…文と文、文節と文節をつなぎ、関係を示す文節。

⑤独立語…他の文節とは直接関係がなく、独立性が高い文節。

2 文節どうしの関係

①主語・述語の関係…「何(だれ)が―どうする(どんなだ・何だ)・ある」のような関係。

②修飾・被修飾の関係…修飾する文節とされる文節の関係。

・連用修飾語…用言を含む文節を修飾。

・連体修飾語…体言を含む文節を修飾。

③接続の関係…原因・理由などを表す語と、あとの文節との関係。

④独立の関係…独立語とそれ以外の文節との関係。

⑤並立の関係…二つ以上の文節が対等な関係。

⑥補助の関係…主な意味を表す文節のあとに補助的な意味を添える文節が続く関係。

[　月　日]

入試重要ポイントTOP3

文を文節に区切るときは、文節の切れ目に「ネ」などを入れて見分ける。

文の成分には「主語」「述語」「修飾語」「接続語」「独立語」の五つがある。

修飾語には、用言を修飾する連用修飾語と体言を修飾する連体修飾語がある。

入試得点アップ

文の成分の例

〈主語〉例 鳥が木の枝で鳴く。（「鳴く」が述語）

〈述語〉例 庭のひまわりが咲いた。（「ひまわりが」が主語）

〈修飾語〉例 彼が大声を出す。（「出す」を修飾）

〈接続語〉例 暑いので、泳ぐ。

〈独立語〉例 はい、そうします。

文節どうしの関係の例

〈主・述〉例 公園の 桜が 咲いた。

〈修飾・被修飾〉

・連用修飾 例 ゆっくり 歩く。

・連体修飾 例 美しい 虹が 出る。

〈接続〉例 熱がある。だから、休む。

〈独立〉例 夢、それが大事だ。

〈並立〉例 私と 弟で 出かけた。

〈補助〉例 兄が 教えて くれた。

※ 並立と補助は、必ず二つ以上の文節がつながった連文節になる。

サクッと確認

次の文の文節の数を答えなさい。

①夢のような出来事が現実にあるらしい。 4

②これがみんなで考えた結論です。 4

③もう秋がすぐそこまで来ている。 6

次の文の――線部の文の成分をそれぞれあとから選び、記号で答えなさい。

①空腹だった私は、リンゴを一気に食べた。 ア

②しんどいので、練習を休んだ。 オ

③運動会で弟は必死に走った。 イ

④僕はこの夏、美しい海で泳いだ。 エ

ア 主語　イ 連用修飾語　ウ 述語　エ 連体修飾語　オ 接続語

[月 日]

目標時間10分

分

やってみよう！入試問題

解答3ページ

1 「重いものをもってのぼる」という文を、文節に区切るとどうなりますか。次から選び、記号で答えなさい。

ア 重いものを／もって／のぼる
イ 重い／ものを／もって／のぼる
ウ 重いもの／を／もっ／て／のぼる
エ 重い／もの／を／もっ／て／のぼる

［　　］〔岩手〕

2 「自分のペースがこわれてしまうのだ」を文節に分けるとどうなりますか。次から選び、記号で答えなさい。

ア 自分の／ペースが／こわれてしまうのだ
イ 自分の／ペースが／こわれて／しまうのだ
ウ 自分の／ペースが／こわれて／しまう／のだ
エ 自分／の／ペース／が／こわれ／て／しまう／の／だ

［　　］〔三重〕

よく出る！

3 「なっている」の二つの文節はどのような関係にありますか。次から選び、記号で答えなさい。

ア 主語・述語の関係
イ 修飾・被修飾の関係
ウ 並立の関係
エ 補助の関係

［　　］〔鳥取〕

---

4 文の係り受け（照応関係）が適切なものを次から選び、記号で答えなさい。

ア この企画の問題点は、予算内で完成させるのが難しい。
イ 満腹だった私は、デザートを兄に頼んで食べてくれた。
ウ 雨の日には、私は図書館で読書をすることにしている。
エ 私の夢はオリンピックに出場してメダルをとりたい。

［　　］〔栃木〕

ココ注意！ 「係り受け（照応関係）」とは、文節どうしの関係のこと。ここでは、主語・述語の関係が正しいものを選ぶ。

5 「茶の湯のもてなしは、西洋のサービスとはいささか異なります」の主語と述語に当たる一文節を、それぞれそのまま抜き出して答えなさい。

主語［　　］ 述語［　　］〔愛媛〕

ココ注意！ 「一文節」で抜き出すという条件に注意。単語ではない。

6 Aの文を、内容を変えないように、「弟は」で始まる文に書きかえると、「託した」はどのようになりますか。Bの文の□に当てはまる語を答えなさい。

A 兄は、弟に全国大会出場の夢を託した。
B 弟は、兄に全国大会出場の夢を□。

［　　］〔北海道〕

4 文法②

品詞の種類・活用しない自立語

1 品詞の種類

単語（言葉の最小単位）は、次の十種類の品詞に分けられる。

- 単語
  - 自立語
    - 活用がある…動詞・形容詞・形容動詞
    - 活用がない…名詞・副詞・連体詞・接続詞・感動詞
  - 付属語
    - 活用がある…助動詞
    - 活用がない…助詞

※ 単独で文節を作ることができる語を「自立語」、自立語と共に文節を作る語を「付属語」という。

※ 自立語で活用がある動詞・形容詞・形容動詞を「用言」という。用言は単独で述語となることができる。

※ 名詞を「体言」といい、体言は主語になることができる。

2 活用しない自立語（名詞・副詞・連体詞・接続詞・感動詞）

①名詞…生き物・物・事柄などを表す。

②副詞…状態・程度・呼応（特定の文末表現に対応すること）の意味を表す。主に用言を修飾する連用修飾語になる。

③連体詞…体言を修飾する連体修飾語になる。

④接続詞…前後の文や文節、単語などをつなぐ接続語になる。

⑤感動詞…応答や呼びかけ、感動などを表す。独立語になる。

入試得点アップ

品詞の種類

・自立語は文節の初めにあり、文節中には必ず一つだけである。付属語は、常に自立語のあとにつく。

活用しない自立語

①名詞の種類

・普通名詞…一般的な物事の名前。
・固有名詞…人名や地名などの名前。
・代名詞…人や物事などを指し示す。
・数詞…数量・順序・時間などを表す。
・形式名詞…本来の意味が薄れ、修飾語が必要な名詞。

例 楽しかったことを覚えている。

②副詞の例

例 とぼとぼ歩く〈状態〉・かなり辛い〈程度〉・もし晴れなら〈呼応〉

③連体詞の例

例 あの家・大きな犬・たいした人

④接続詞の例と種類

例 だから〈順接〉、しかし〈逆接〉、そして〈並立・累加〉、ところで〈転換〉

入試重要ポイントTOP3

- 十種類の品詞を覚えよう。それぞれ、自立語か付属語か、活用があるかないかを理解しよう。
- 名詞は「体言」とも呼ばれ、主語となることができる品詞であることを理解しよう。
- 副詞は主に連用修飾語となり、連体詞は連体修飾語となることを覚えておこう。

［　月　日］

サクッと確認

次の説明にあてはまる品詞をそれぞれあとからすべて選び、記号で答えなさい。

①付属語で活用がないもの。　キ

②自立語で活用があるもの。　ア　カ　ク

③付属語で活用があるもの。　コ

④自立語で活用がないもの。　イ　ウ　エ　オ　ケ

⑤常に体言を修飾するもの。　エ

⑥主に連用修飾語となるもの。　オ

ア 動詞　イ 感動詞
ウ 名詞　エ 連体詞
オ 副詞　カ 形容動詞
キ 助詞　ク 形容詞
ケ 接続詞　コ 助動詞

やってみよう！入試問題

解答3ページ

目標時間10分　□分

1

次の①～④の――線部の語の品詞名を、それぞれあとから選び、記号で答えなさい。

① 平べったくなってしまった。

② ずいぶん痩せたな。

③ ナメシ皮のように見える。

④ 作品のすばらしさに感動していた。

ア 動詞　イ 形容詞　ウ 形容動詞
エ 助動詞　オ 助詞　カ 副詞
キ 連体詞　ク 名詞　ケ 感動詞

［　］［　］［　］［　］

〔多摩大目黒高―改〕

2

よく出る！

次の①～⑤の□に入る適切な副詞を、それぞれあとから選び、記号で答えなさい。

① 午後には□晴れるだろう。

② あの日のことは□忘れない。

③ □約束を破ったのですか。

④ □夢のような話で、とても信じられない。

⑤ □羽があれば、飛んでいくのに。

ア どうして　イ まるで　ウ けっして
エ もし　オ おそらく

［　］［　］［　］［　］［　］

〔堀越高〕

3

次の①～③の――線部の語と、～～線部の品詞が同じ短文を、それぞれあとから選び、記号で答えなさい。

① そのかわりに教えていった。

ア 真っ赤な花が咲いた。　イ 大きな犬を飼う。
ウ 早く大きくなれ。　エ 重さを調べてみよう。

② 鳥はこう鳴く。

ア こんなことはやめなさい。　イ 答えがまったく分からない。
ウ 今日も暑くなりそうだ。　エ 大きな声で騒ぐ。

③ それを開いてみる。

ア どうすればいいのか。　イ そんなことも知らないのか。
ウ 果物がおいしくなる。　エ みんなにお別れを言う。

①［　］②［　］③［　］

〔慶應義塾高〕

ココ注意！
①は連体詞、②は副詞、③は名詞。

4

次のア～エの「ある」の中で、品詞が違うものを一つ選び、記号で答えなさい。

ア 懇親会の席で、ある助教授が言った。

イ 参加できる場面がある珍しい領域です。

ウ 宇宙へのあこがれもあるし、関心も高い。

エ 水族館が人気であるのは自然に対する興味による。

［　］

〔明治大付属中野高―改〕

活用する自立語

1 活用する自立語（動詞・形容詞・形容動詞）

単独で述語になることができる。「用言」ともいう。

①動詞…動作・存在・作用などを表し、ウ段の音で終わる。

②形容詞…性質・状態などを表し、「い」で終わる。

③形容動詞…性質・状態などを表し、「だ（です）」で終わる。

2 動詞・形容詞・形容動詞の活用

品詞	種類	基本形	未然形	連用形	終止形	連体形	仮定形	命令形
		続き方	ない・う	た・で・ます	（言い切り）	とき・もの	ば・ども	（命令）
動詞	五段	歩く	か・こ	き・い	く	く	け	け
		笑う	わ・お	い・っ	う	う	え	え
	上一段	起きる	き	き	きる	きる	きれ	きろ・きよ
	下一段	受ける	け	け	ける	ける	けれ	けろ・けよ
	カ行変格	来る	こ	き	くる	くる	くれ	こい
	サ行変格	する	さ・し・せ	し	する	する	すれ	しろ・せよ
形容詞		美しい	かろ	かっ・く・う	い	い	けれ	○
形容動詞		静かだ	だろ	だっ・で・に	だ	な	なら	○
		静かです	でしょ	でし	です	（です）	○	○

入試重要ポイントTOP3

［　月　日］

- 自立語で活用のある動詞・形容詞・形容動詞が見分けられるよう覚えておく。
- 動詞の活用のかたちや見分け方、カ行変格活用・サ行変格活用の語は覚えておく。
- 形容詞の活用は一種類、形容動詞は二種類で、命令形は存在しない。

入試得点アップ

活用する自立語

・動詞・形容詞・形容動詞の言い切りの形を覚えておく。

動詞

・動詞の五段・上一段・下一段活用は未然形で見分け、変格活用は覚えておく。

・動詞には自動詞（＝それ自身の動作などを表す）と、他動詞（他のものや人に対する動作などを表す）がある。

例　起きる（自動詞）・起こす（他動詞）

・可能動詞…一語で「できる」という意味を表す。例　走れる

形容詞

・形容詞（形容動詞）を未然形にするときには「う」に続くようにする。

・形容詞（形容動詞）には命令形はない。

・形容詞には補助的な意味を加える補助形容詞がある。例　暑くない。

形容動詞

・ていねいな言い方の形容動詞（〜です）には仮定形・命令形がない。

サクッと確認

次の――線部の品詞名をそれぞれあとから選び、記号で答えなさい。

①早起きが必要です。　［ウ］

②昨日は雨が降った。　［ア］

③予定が合えば行く。　［ア］

④もう苦しくはない。　［イ］

⑤話を静かに聞こう。　［ウ］

ア　動詞　　イ　形容詞　　ウ　形容動詞

次の――線部の動詞の活用の種類をそれぞれあとから選び、記号で答えなさい。

①早く帰宅したい。　［オ］

②母が降りてきた。　［イ］

③夏は海で泳いだ。　［ア］

④兄が帰ってきた。　［エ］

⑤早く寝なさい。　［ウ］

ア　五段　　イ　上一段

ウ　下一段　　エ　カ行変格

オ　サ行変格

1 2 3 4 5 6 7 8 入試対策 9 10 入試対策 11 12 13 14 入試対策 15 16 17 18 入試対策 19 20 21 22 23 入試対策 テスト

やってみよう！入試問題

解答4ページ

目標時間10分　□分

〔　月　日〕

1

口語文法の説明として誤りのあるものを、次から一つ選び、記号で答えなさい。

ア 動詞の「活用形」は六つある。
イ 動詞の「活用の種類」は五種類ある。
ウ 「寝る」も「来る」も下一段活用である。
エ 「する」はサ行変格活用である。
オ 「飲もう」の「飲も」は未然形である。

〔　　〕〔多摩大目黒高〕

2

「学校から届いたアンケート」の「届い」と活用形が同じものを、次から選び、記号で答えなさい。

ア 最近、雨が降らない。　イ 楽しいと思うらしい。
ウ 旅人に道を聞かれた。　エ 美しい字を書きたい。

〔　　〕〔茨城〕

ココ注意！ 過去を表す「〜た」は連用形につく。

3

「何もしない」の「し」は動詞である。活用の種類と活用形を答えなさい。

種類〔　　〕活用　活用形〔　　〕形

〔熊本〕

4

次の文の□にあてはまるよう、「寒い」という語を活用させて一語で答えなさい。

外はさぞ□う

〔　　〕〔和歌山〕

5

よく出る！

次のア〜オの——線部のうち、活用形が他と異なっているものを一つ選び、記号で答えなさい。

ア 一羽のがんが苦しんでいる。
イ 私はそれを見つけました。
ウ 体温が手に伝わり、安心した。
エ 思い屈した心が和む。
オ この鳥を丈夫にしてやろうと決心する。

〔　　〕〔熊本—改〕

6

次のア〜エの——線部のうち、動詞の活用の種類が他と異なっているものを一つ選び、記号で答えなさい。

ア 花粉をつける時。　イ 子孫を残すのは難しい。
ウ 可能となった。　エ 花粉を運ぶ。

〔　　〕〔三重—改〕

7

次のア〜エの——線部のうち、「聞く」と活用の種類が同じ動詞を一つ選び、記号で答えなさい。

ア 海外から、多くの留学生が日本に来ている。
イ 雪が降りつもる様子を、窓から眺めている。
ウ 美術の授業で、二色の絵の具を混ぜる。
エ 目を閉じて、中学校での生活をふり返る。

〔　　〕〔新潟〕

6 文法④ まぎらわしい品詞の識別①

1 助詞とは

付属語で活用のない言葉。他の単語に付いて意味をそえたり、単語と単語をつなぎ、それらの関係を示したりする。

2 助詞の種類

助詞には、格助詞・接続助詞・副助詞・終助詞の四種類がある。

・格助詞…主に体言に付いて、主語・修飾語などを作る。
・接続助詞…主に活用語に付いて、前後の言葉を接続する。
・副助詞…体言や副詞などに付いて、様々な意味をそえる。
・終助詞…文や文節の終わりに付いて、特定の意味をそえる。

3 助詞のはたらき（意味・用法の識別）

・格助詞「の」の識別
①主語…「の」を「が」に置きかえられる。例 色のうすい着物
②体言…「の」を「～のもの(のこと)」に置きかえられる。例 これは僕のだ。
③連体修飾語…「体言＋の＋体言」の形式 例 ぼくらの学校

・格助詞「で」の識別
①原因・理由（～のために） 例 微熱で早退する。
②場所・時間（～において） 例 名古屋《なごや》で開催される。
③道具・手段（～を使って） 例 旅客機でアメリカに渡る。

入試重要ポイント TOP3

助詞の識別法① 問われた助詞を他の言葉に置き換えてみる。

助詞の識別法② 問われた助詞の直前・直後の言葉に注目する。

助詞の識別法③ 問われた助詞が、他の品詞（の一部）でないか、注意する。

［ 月 日］

入試得点アップ

助詞の種類

・格助詞
「から」「の」「へ」「や」「に」「より」「を」「と」「が」「で」たと覚える。
・接続助詞
例 から・ので（順接）たり（並立）けれど・のに（逆接）て・で（補助）つつ（動作の同時並行）
・副助詞
例 さえ（限定）ばかり・ほど（程度）でも（類推）こそ（強調）
・終助詞
例 か（疑問）な（禁止）よ（勧誘）

助詞のはたらき（意味・用法の識別）

・格助詞「の」の識別
③「連体修飾語」の見分けに注意。
例 私のもの（②とまぎらわしい）
・格助詞「で」の識別
断定の助動詞「だ」の連用形と区別。
例 弟はまだ小学四年生で、頼りない。（断定の助動詞）

サクッと確認

①助詞は…
ア 自立語 イ 付属語 ［イ］

②助詞は活用を…
ア する イ しない ［イ］

格助詞「の」の識別
③彼の証言は正しかった。
ア 主語 イ 連体修飾語 ［イ］

格助詞「の」の識別
④花粉の飛び散る季節が来た。
ア 主語 イ 体言 ［ア］

格助詞「で」の識別
⑤カッターで模造紙を切る。
ア 原因 イ 道具 ［イ］

格助詞「で」の識別
⑥渇水で田んぼが干上がった。
ア 原因 イ 場所 ［ア］

やってみよう！入試問題

解答4ページ

10

目標時間10分
分

［　月　日］

1

次の文中の――線部「で」と同じはたらきをするものをあとから選び、記号で答えなさい。また、この「で」の品詞名を漢字で答えなさい。

弟子はステージの上でこの変幻する花を手にしたとき、もちろん緊張もあるだろうし、師匠から教わったいろいろの約束事に縛られることもあるだろうが、そのため花のそのときの姿が見えない。弟子が自分では見ていると思っている花はリハーサルのときに見た花であって、もはやそこにある花ではない。

（長谷川《はせがわ》　櫂《かい》「和の思想」）

ア　昨日は風邪で学校も休んでしまった。
イ　この景色はきれいで透明感がある。
ウ　夕焼けに染まった空を鳥が飛んでいる。
エ　五人で一つのグループを作る。
オ　彼は委員長で友人からの信頼もあつい。

記号［　　］　品詞名［　　］〔豊島岡女子学園高〕

よく出る！

2

「電球を新しいのと取り替えてよ。」の――線部「の」と同じはたらきをするものを次から選び、記号で答えなさい。

ア　彼女の書いた作文が入選したね。
イ　私はお菓子を作るのが得意です。
ウ　文化祭の準備は進んでいますか。
エ　本屋に行ったのに休みだったよ。

［　　］〔栃木〕

3

次の文中の――線をつけた「で」のうち、同じはたらきをするものの組み合わせとして最も適するものを、あとから選び、その番号を答えなさい。

古い資料で（ア）町の歴史を調べようと思い、図書館へ自転車で（イ）出かけたが、適切な資料がなかなか見つからないので（ウ）、お茶で（エ）も飲んで気分転換をしようと思った。

1　アとイ　　2　アとウ
3　イとウ　　4　イとエ

［　　］〔神奈川〕

4

次の文中の――線部「の」と同じはたらきをするものを、あとから選び、記号で答えなさい。

本というのは時間でできていて、読書というのは本のもつ時間の使い方だというふうに考えることがあります。

（長田《おさだ》　弘《ひろし》「本を読む。ゆっくり読む。」）

ア　プラスチックのコップはとても軽い。
イ　彼はもっとも奥にあるのを選んだ。
ウ　一昨年《おととし》の夏はとても暑かった。
エ　彼女の書いた作文はすばらしかった。

［　　］〔新潟〕

ココ注意！
「本というのは」は、「本というものは」と置き換えて考えられる。

7 文法⑤

まぎらわしい品詞の識別②

1 助動詞とは

付属語で活用する言葉。用言や体言に付き、特定の意味を添える。

2 助動詞のはたらき（意味・用法の識別）

・「れる・られる」
①受身（お使いを頼まれる。）　②尊敬（お客様が来られる。）
③自発（故郷がしのばれる。）　④可能（富士山が見られる。）
・「ない」①否定（打ち消し）（夜はテレビを見ない。）
・「そうだ」
①様態（雨が降りそうだ。）　②伝聞（彼は九州の出身だそうだ。）
・「ようだ」
①推定（今は留守のようだ。）　②比喩（手触りは粘土のようだ。）
③例示（浅間山のような活火山が挙げられる。）
・「らしい」①推定（うわさは本当らしい。）
・「た」①過去（海は美しかった。）　②完了（ガスの点検が終わった。）
③存続（壁にかかった絵。）　④想起（この本は父のだったね。）
・「だ」①断定（南西は平野だ。）
・「う・よう」①推量（もう夜が明けよう。）　②意志（猛勉強しよう。）
・「まい」①否定の推量（彼はそんなこと知るまい。）
②否定の意志（二度と同じ過《あやま》ちはしまい。）

入試重要ポイントTOP3

助動詞の識別法① 問われた助動詞を他の言葉に置きかえてみる。

助動詞の識別法② 問われた助動詞の直前・直後の言葉に注目する。

助動詞の識別法③ 問われた助動詞が、他の品詞（の一部）でないか、注意する。

［　月　日］

入試得点アップ

助動詞のはたらき（意味・用法の識別）

・「ない」の識別
①は「ぬ」に置きかえられる。
「ぬ」に置きかえられない場合は、形容詞。例 時間がない。
・「そうだ」の識別
②の場合、「直前に句点を打てるか」で①との違いを確かめられる。
・「ようだ」の識別
②は「まるで」、③は「たとえば」をそれぞれ補うことができる。
・「らしい」の識別
①は直前に「どうやら」を補うことができる。
〜ぽい、〜的という意味の場合は上の語について、形容詞を作る接尾語の「らしい」。
例 とても男らしい。
・「だ」の識別
①は「な」に置きかえられない。
「な」に置きかえられる場合は、形容動詞。

サクッと確認

①助動詞は活用を…
ア する　イ しない　［ア］

「ない」の識別
②その動物園にゾウはいない。
ア 助動詞　イ 形容詞　［ア］

「そうだ」の識別
③上達まで時間がかかりそうだ。
ア 様態　イ 伝聞　［ア］

「ようだ」の識別
④虹のようにカラフルだ。
ア 比喩　イ 例示　［ア］

「だ」の識別
⑤生けてあるのは菊の花だ。
ア 形容動詞の活用語尾　イ 断定の助動詞　［イ］

やってみよう!入試問題

解答5ページ

目標時間10分　［　　］分

［　月　日］

1

次の文中の——線部「らしい」の品詞として最も適切なものを、あとのⅠ群ア〜エから一つ選び、記号で答えなさい。また、——線部「らしい」と同じ意味・用法でらしいが用いられているものを、あとのⅡ群カ〜ケから一つ選び、記号で答えなさい。

聞くところによると、科学の専門家でも、自分の専門を少しでも離れた研究開発については、素人《しろうと》と同じように祈っているというのが、どうやら最近の実情らしい。

〔Ⅰ群〕 ア 形容詞　イ 形容動詞
ウ 助動詞　エ 助詞

〔Ⅱ群〕 カ 桜の花びらが風に舞っている光景は、いつ見てもすばらしい。
キ 小さな動物たちがじゃれ合っている姿は、実に愛らしい。
ク こんな所にまで本を持ってくるなんて、いかにも君らしい。
ケ 彼女の話によれば、図書館で彼女と出会ったのは彼らしい。

Ⅰ群［　　］ Ⅱ群［　　］〔京都〕

2

——線部「そうだ」のうち、意味が違うものを、次から一つ選び、記号で答えなさい。

ア 明日は雨になりそうだ。
イ このケーキはとてもおいしそうだ。
ウ 先週退院した彼女はもう元気そうだ。
エ 午後の練習は体育館で行うそうだ。

［　　］〔福島〕

3

よく出る!

——線部「れる」「られる」のうち、意味・用法が他と異なるものを次から選び、記号で答えなさい。

ア みなさん八時には来られるということです。
イ 彼は大人になっても家族に大事にされる。
ウ 描いた絵を褒められるのは嬉《うれ》しいことだ。
エ ぼんやりしていて、人に追い越される。
オ アンケート用紙は管理人から配布される予定です。

［　　］〔多摩大学目黒高〕

4

——線部の「ない」のうち、品詞の異なるものを次から選び、記号で答えなさい。

ア 労働しない　イ 漢詩は知らない
ウ あどけない顔　エ 横綱になるとかならないとか
オ 追いつかない

［　　］〔城北埼玉高〕

ココ注意!
「ない」の識別問題には「形容詞の一部」が紛れこむことがある。

8 敬語

文法⑥

1 敬語の種類

①尊敬語…相手や話題になっている人物に用い、相手を敬う言葉。
②謙譲語…自分や身内に用い、へりくだる言葉。
③丁寧《ていねい》語…丁寧な気持ちを表す言葉。例 ～です・～ます・お茶

2 尊敬語

①相手に関する物事（接頭語・接尾語・名詞）
・ご家族・御社・貴校・芳名・お客様・方《かた》
②相手の動作
・「お（ご）～になる（なさる）」…お話しになる
・「～れる・られる」…先生が来られる。
・敬語動詞…いらっしゃる・おっしゃる・なさる　など

3 謙譲語

①自分に関する物事（接頭語・接尾語・名詞）
・小生《しょうせい》・小社・拙宅・粗品・愚息・私《わたくし》ども・せがれ
②自分の動作
・「お（ご）～する（いたす）」…ご案内する
・敬語動詞…うかがう・申し上げる・いたす　など

入試重要ポイントTOP3

［　月　日］

尊敬語は相手の動作などに用いる言葉、謙譲語は自分の動作などに用いる言葉。

丁寧語は、丁寧な気持ちを表し、文末や名詞などに軽く添えられる言葉。

敬語が用いられるのは、主に動詞と名詞（あるいはその前後）である。

入試得点アップ

敬語の種類

誤文訂正（言動の場合）では、主語と述語動詞の対応関係に注意する。
例 この用紙をご利用ください。
→ご利用になってください。
主語は相手なので、尊敬語を用いる。

尊敬語

敬語動詞を覚える。
例 行く・来る→いらっしゃる・おいでになる
言う→おっしゃる
する→なさる

謙譲語

敬語動詞を覚える。
例 行く・来る→参る・うかがう
言う→申す・申し上げる
する→いたす

丁寧語

丁寧な言い方への改め方を覚える。
例 先生の話を聞いた。
→先生のお話を聞きました。

サクッと確認

①尊敬語を用いるのは
ア 相手　イ 自分　［ア］

②謙譲語を用いるのは
ア 相手　イ 自分　［イ］

③「言う」の尊敬語
ア おっしゃる
イ 申し上げる　［ア］

④「見る」の謙譲語
ア ご覧になる
イ 拝見する　［イ］

⑤「行く」の尊敬語
ア いらっしゃる
イ 参る　［ア］

⑥「与える」の謙譲語
ア 下さる
イ 差し上げる　［イ］

[　]月[　]日

目標時間10分

[　　]分

10

解答5ページ

やってみよう！入試問題

1 次の――線部を適切な敬語表現に改める場合、正しい組み合わせをあとから選び、記号で答えなさい。

① 「温かいうちに食べてください。」
（客に手料理を勧める場面）

② 「荷物を持ちます。」
（ホテルの従業員が客に話しかける場面）

ア ①いただいて　②お持ちになり
イ ①召し上がって　②お持ちになり
ウ ①いただいて　②お持ちし
エ ①召し上がって　②お持ちし

［　　］〔栃木〕

2 次の会話の[　　]にあてはまる最も適切な敬語の表現を、あとから選び、記号で答えなさい。

先生「おうちの方に、明日、家庭訪問にうかがいますと伝えてください。」
生徒「はい。明日、先生が[　　]と伝えておきます。」

ア おじゃまする　イ うかがわれる
ウ おいでになる　エ まいられる

［　　］〔埼玉〕

ココ注意！
だれからだれに対する敬語表現かを考え、適切な敬語の種類を選ぶ。

3 次の文は、接客の場面で店員が話した言葉である。表現が適切なものを次から選び、記号で答えなさい。

ア 「伝票にご署名してください。」
イ 「お待たせしました。ご注文のコーヒーになります。」
ウ 「こちらでおかけになってお待ちください。」
エ 「お会計は八百円です。千円からお預かりします。」

［　　］〔兵庫〕

4 ――線部が謙譲表現でないものを次から選び、記号で答えなさい。

ア 先生のお話をお聞きする。
イ 皆様に、私の作品をご覧に入れたい。
ウ 事件の経緯について説明させていただく。
エ 先生が私の手料理を召し上がる。
オ その男性については存じ上げない。

［　　］〔多摩大目黒高〕

よく出る！

5 次の①・②の敬語の使い方について、正しいものを一つ選び、記号で答えなさい。

① 受付で（ア 聞いて　イ お聞きになって　ウ お伺いして）ください。

② お茶を（ア 召し上がって　イ いただかれて　ウ 飲んで）ください。

①［　　］②［　　］〔堀越高〕

サクッと入試対策 ①

解答6ページ
目標時間10分
［　月　日］

やや難

1

次の①～⑤の熟語と組み立てが同じ熟語をあとから二つずつ選び、記号で答えなさい。

① 寒冷　② 投石　③ 曲直　④ 歩道　⑤ 私立

ア 入院　イ 日照　ウ 利害　エ 競争　オ 天地
カ 削減　キ 逸品　ク 負傷　ケ 国営　コ 地質

①［　・　］②［　・　］③［　・　］
④［　・　］⑤［　・　］

2

次の――線部のカタカナを漢字に改め、その熟語の対義語をあとから一つずつ選び、記号で答えなさい。

① チュウショウ的な会話をする。
② 教育を受けるギムがある。
③ キョウキュウが追いつかない。

ア 許可　イ 理想　ウ 具体　エ 権利　オ 需要　カ 必要

①［　・　］②［　・　］③［　・　］

間違えやすい

3

次の①～③の熟語の類義語をそれぞれ次から選び、記号で答えなさい。

① 協力（ア 提携　イ 尽力　ウ 条約　エ 抑制）
② 音信（ア 通信　イ 消息　ウ 電波　エ 音色）
③ 寄与（ア 予算　イ 付与　ウ 奇妙　エ 貢献）

①［　］②［　］③［　］

4

次の①・②の上と下が似た意味になるように、□にあてはまる言葉を書き、ことわざを完成させなさい。

① 二兎《と》を追う者は一兎をも得ず ―― □とらず
② 三つ子の魂百まで ―― □百まで踊り忘れず

①［　］②［　］

5

次の①～③が、下の【意味】と合うように□に当てはまる漢字をそれぞれ一字で答えなさい。

① 身を□にする　【意味】…苦労をいとわず尽力する
② □も□もない　【意味】…根拠のない
③ □が広い　【意味】…交際範囲が広い

① □　② □・□　③ □

6

次の①～④の故事成語の意味を、それぞれあとから選び、記号で答えなさい。

① 矛盾　② 背水の陣　③ 四面楚歌《しめんそか》　④ 蛇足《だそく》

ア 余計なもの　イ つじつまの合わないこと
ウ 決死の覚悟　エ 孤立無援な様子

①［　］②［　］③［　］④［　］

ココ注意！
故事成語は、それぞれの言葉の成り立ちに注意する。

サクッと入試対策 ②

解答6ページ

目標時間10分　［　　］分

［　　月　　日］

1

次の①～③の文の文節の分け方が正しいものには○、正しくないものには×を答えなさい。

① その／老紳士は／汽車の／中でも／コートを／着て／いた。

② 天気予報に／よると／明日は／雨が／降る／そうだ。

③ 大使館の／ある一室には／イギリスの／国旗が／掲げてあった。

①［　　］　②［　　］　③［　　］

2

やや難

次の①～③の――線部の文の成分としてあてはまるものを、それぞれあとから選び、記号で答えなさい。

① 友人の言葉には、よそよそしささえ感じられた。

② 温かなまなざしで息子の成長を見守る。

③ やれやれ、部下の田中君には手がかかって大変だよ。

ア 主語　イ 述語　ウ 修飾語　エ 接続語　オ 独立語

①［　　］　②［　　］　③［　　］

3

間違えやすい

次の①～③の文の中にある自立語の数を漢数字で答えなさい。

① 梅雨明けには一週間ほど早く、しばらく雨天が続くようだ。

② デパートの売り場には、黒山のひとだかりができていた。

③ 畑のとうもろこしをすべて売っても少しのお金にしかならない。

①［　　］　②［　　］　③［　　］

4

次のア～エの「さえ」の中で、他と用法の異なるものを一つ選び、記号で答えなさい。

ア お菓子さえあれば満足だ。

イ 小学生にさえわかることだ。

ウ ねずみ一匹さえいない。

エ 一言の挨拶さえしなかった。

［　　］

5

次のア～エの「そうだ」の中で、次の文の用法と同じものを一つ選び、記号で答えなさい。

・扉の向こうには、とんでもない宝物がありそうだ。

ア 彼は転校するそうだ。

イ 眠ってしまいそうだ。

ウ ここは山だったそうだ。

エ そうだ、この道にしよう。

［　　］

ココ注意!

付属語の識別では、他の品詞が紛れていないか注意する。

6

次の①～③の――線部の敬語の誤りを改めなさい。

① 私の父は、すでに佐藤《さとう》社長のことをご存知でおります。

② 式典の会場については当日に受け付けでうかがってください。

③ 国語の先生が課題図書の作文を提出するように申された。

①［　　］　②［　　］　③［　　］

詩の読解

入試重要ポイントTOP3

詩の種類を理解する 用語・形式の上からとらえる。内容は叙情詩が多い。

表現技法を捉える 主な表現技法の名前、表現の方法と効果を理解しておく。

詩を鑑賞する 描かれているもの、作者の気持ちがわかる表現に着目する。

[　月　日]

次の詩を読んで、あとの問いに答えなさい。

この道

北原白秋《きたはらはくしゅう》

この道はいつか来た道、
　ああ、そうだよ、
あかしやの花が咲いてる。

あの丘《おか》はいつか見た丘、
　ああ、そうだよ、
ほら、白い時計台だよ。

この道はいつか来た道、
　ああ、そうだよ、
母さんと馬車で行ったよ。

あの雲はいつか見た雲、
　ああ、そうだよ、
*山査子《さんざし》の枝も垂れてる。

*山査子＝バラ科の落葉、低木。春に白い花を咲かせ、黄色、赤色の実をつける。

問い この詩の説明に合うほうを選び、記号で答えなさい。

ア 各連が同じ形になっていて、反復表現が使われている。

イ 文語で書かれた定型詩で、体言止めが使われている。

入試得点アップ

詩の分類

・用語で分類
文語詩と口語詩

・形式で分類
定型詩…各行の音数に一定の決まりがある。
自由詩…各行の音数に決まりがない。

詩によく使われる表現技法

直喩…「ようだ」「みたいだ」などを使ってたとえる。
隠喩…「ようだ」「みたいだ」などを使わずにたとえる。
擬人法…人でないものを人に見立てて表現する。
倒置…語順をふつうと入れかえて、前の部分を強める。
反復…同じ言葉をくり返して、印象を強める。
体言止め…文末を体言で止めて、余韻を残す。

サクッと確認

■次の詩を読んで、あとの問いに答えなさい。

虫

八木重吉《やぎじゅうきち》

虫が鳴いてる
いま　ないておかなければ
もう駄目だというふうに鳴いてる
しぜんと
涙をさそはれる

問い この詩に使われている表現技法を次から選び、記号で答えなさい。

ア 直喩　**イ** 隠喩
ウ 倒置　**エ** 反復

やってみよう！入試問題

月　日

目標時間10分　　分

解答7ページ

1　次の詩を読んで、あとの問いに答えなさい。

どうかして　　川崎《かわさき》　洋《ひろし》

樹《き》
なんとかお前に交わる方法はないかしら
葉のしげり方
なんとかお前と
交叉《こうさ》するてだてはないかしら

鳥
お前が雲に消え入るように
僕がお前に
すっと入ってしまうやり方は
ないかしら
そして
僕自身も気付かずに
身体の重みを風に乗せるコツを
僕の筋肉と筋肉の間に置けないかしら

夕陽《ゆうひ》
教えておくれ
どうして
坂の上に子供達が集まって
おまえを視《み》るのか
どうして
子供達は
小さな頬の上に忙しく手を動かして
まるで
夕陽をそこにすりこむようにして
其処《そこ》に
歌かおしゃべりか判《わか》らない喚声が
渦を巻くのか

日の暮れ方を教えておくれ
森の色の変《かわ》り方を
蜻蛉《とんぼ》の羽の透きとおり方を
土のしめり方を
粗い草の匂い方を
教えておくれ

（「木の考え方」）

問い　この詩の表現の特徴について説明しているものを、次から選び、記号で答えなさい。

ア　第一・二連では、反復表現を用いることで、自然に同化しようという作者の思いが表現されていて、第三・四連では、常に自然を探求していこうという作者の固い決意が表現されている。

イ　第一・二連では、自然に対して強く憧れる作者の気持ちが表されていて、第三・四連では、疑問の言葉を用いることで、自然界に深い疑いを抱いている作者の様子が表現されている。

ウ　第一・二連では、比喩表現を用いることで、作者が憧れる夢の世界が表現されていて、第三・四連では、大人になっても自然を忘れないでいたいという作者の強い願望が表現されている。

エ　第一・二連では、自然と一体化したいという作者の願いが表されていて、第三・四連では、問いかけの言葉を用いることで、自然に対して強くひかれている作者の様子が表現されている。

［　　］〔岩手〕

短歌・俳句の読解

[　月　日]

入試重要ポイントTOP3

短歌の知識 五・七・五・七・七の三十一音が基本。句切れを理解しておく。

俳句の知識 五・七・五の十七音が基本。主な季語と季節を理解しておく。

短歌・俳句の鑑賞 情景を捉え、作者の感動の中心を捉えて読み味わう。

1 次の短歌を読んで、あとの問いに答えなさい。

A ＊つばくらめ飛ぶかとみれば消え去りて空あをあをとはるかなるかな　窪田空穂《くぼたうつぼ》

B 若竹の伸びゆくごとく子ども等《ら》よ真直《ます》ぐにのばせ身をたましひを　若山牧水《わかやまぼくすい》

C 曇りなき心の月を先立てて浮世《うきよ》の闇を照らしてぞ行く　伊達政宗《だてまさむね》

＊つばくらめ＝つばめのこと。

問い A～Cの短歌の中から、四句切れで、直喩を使っている歌を一つ選び、記号で答えなさい。

2 次の俳句を読んで、あとの問いに答えなさい。

D さみだれを集《あつめ》てはやし最上川《もがみがわ》　松尾芭蕉《まつおばしょう》

E 柿くへば鐘が鳴るなり法隆寺《ほうりゅうじ》　正岡子規《まさおかしき》

F どうしようもないわたしが歩いてゐる　種田山頭火《たねださんとうか》

問い D～Fの俳句の中から、①夏の季語が使われている句、②自由律俳句をそれぞれ一つずつ選び、記号で答えなさい。

入試得点アップ

短歌の句切れ

五・七・五・七・七の五句の中での意味の切れ目（普通の文なら、句点（。）がつくところ）。句切れの部分に作者の感動の中心がある。句切れなしの短歌もある。

例 海恋し／潮の遠鳴りかぞへては少女《をとめ》となりし父母《ちちはは》の家　与謝野晶子《よさのあきこ》　初句切れ

俳句の季語と季節・切れ字

春	梅　桜　菜の花　卒業　残雪　つばめ　ひばり　ひな祭り
夏	若葉　五月雨　五月晴れ　梅雨　紫陽花《あじさい》　夕立　せみ　ほたる
秋	天の川　七夕　もみじ　へちま　コスモス　朝顔　台風　月見
冬	小春日　落ち葉　木枯らし　雪　霜　時雨　風邪　大根　みかん

切れ字は、俳句の意味の切れ目を表す語で、作者の感動の中心を表す。主なものは「かな・けり・ぞ・や」。

サクッと確認

① 次の短歌の説明に合うほうを選び、記号で答えなさい。

両親《ふたおや》の四つの腕《かひな》に七人《ななたり》の子をかきいだき坂路《さかみち》のぼるも　伊藤左千夫《いとうさちお》

ア 三句切れで、四人の子どもをかかえて、子育ての大変さを嘆いている。

イ 句切れなしで、子だくさんで大変そうだが、ほのぼのとした感じが伝わってくる。

② 次の俳句を読んで、あとの問いに答えなさい。

A 春の海終日《ひねもす》のたりのたりかな　与謝蕪村《よさぶそん》

B 赤い椿《つばき》白い椿と落ちにけり　河東碧梧桐《かわひがしへきごとう》

問い A・Bの俳句から、それぞれ切れ字を抜き出して答えなさい。

やってみよう！入試問題

解答7ページ

目標時間10分 　分

〔　月　日〕

1

次の短歌を説明したものとして最も適切なものをあとから選び、記号で答えなさい。

ゆふ《(ウ)》ぞらにみづ《(ズ)》おとありしそののちの永きしづ《(ズ)》けさよゆふ《(ウ)》がほ《(オ)》咲《ひら》く　小島《こじま》ゆかり

ア　夕方の空が雨雲に覆われて暗くなり、白い夕顔の花が激しい雨に打たれているという風景を、天候や明暗を対比させながら、上空の雨雲から花に視点を移動することで絵画的に表現している。

イ　夕方の空に水の音が響いたのち、長く静かな時間が流れて夕顔の花が咲くという情景を、動と静を対比させながら、ひらがなを多用し「ゆふ」という音を重ねることで印象的に表現している。

ウ　夕方の空が雨雲に覆われて暗くなっても、白い夕顔の花が咲くのを静かに待っている人々の様子を、時間の経過を意識させるために「永き」「咲く」という漢字表記を用いて写実的に表現している。

エ　夕方の空に響いた水の音が長い静けさを破ったことをきっかけにして、夕顔の花が次々と咲いていく美しい光景を、五感を生かした構成や色彩を感じさせる言葉によって感覚的に表現している。

〔　　〕〔神奈川〕

2

次の俳句を読んで、あとの問いに答えなさい。

A　葉桜の中の無数の空さわぐ　篠原《しのはら》梵《ぼん》

B　大空に伸び傾ける冬木かな　高浜虚子《たかはまきょし》

C　さえざえと雪後《せつご》の天の＊怒濤《どとう》かな　加藤楸邨《かとうしゅうそん》

D　空をゆく一《ひ》とかたまりの花吹雪　高野素十《たかのすじゅう》

＊怒濤＝大きな波。

(1) 体言止めを用いながら、春の空の下で動きのある様子を描き、空間の広がりと美しさを詠《よ》んでいる俳句はどれか。A〜Dから一つ選び、記号で答えなさい。〔　　〕

(2) 冬の空を背景に、目の前で繰り返される激しい動きとともに高まった感動を、切れ字を用いて表現している俳句はどれか。A〜Dから一つ選び、記号で答えなさい。〔　　〕〔福島〕

3

ココ注意！　「冬」という季節、「激しい動き」「切れ字」に着目して考える。

次の俳句について、授業中にAさんが先生に質問をしている。①、②、③に当てはまる語句の組み合わせをあとから選び、記号で答えなさい。

梅咲いて庭中に青鮫《あおざめ》が来ている　金子兜太《かねことうた》

Aさん　「『梅』は ① の季語ですか。」

先生　「そうですね。この句は梅が咲いて ② 庭の印象を詠んだ句なんですよ。」

Aさん　「『青鮫が来ている』は ③ なんですね。」

ア　①春　②生命の躍動感にあふれた　③隠喩

イ　①冬　②どことなく寂しさが漂う　③隠喩

ウ　①春　②どことなく寂しさが漂う　③直喩

エ　①冬　②生命の躍動感にあふれた　③直喩

〔　　〕〔栃木〕

サクッと入試対策③

解答8ページ

目標時間10分　[　]分

[　月　日]

1 次の詩を読んで、あとの問いに答えなさい。

四月の雨
小池昌代《こいけまさよ》

夜半、あたたかい雨が降ってくる
とおくなったり
ちかくなったり
紐《ひも》をほどくように雨が降っている

草木をぬらし
土にしみこみ
路上をながれ
屋根を滑り落ちる

生きようとしているすべてのものたちの
もっとも深く柔らかいぶぶんに届くようにと

一本の傘でわたしたちは帰る
わたしの肩は半分ぬれてしまう
あのひとの肩も半分ぬれている
この一本の傘の容量に
どうにもわたしたちは収まらないのだった

けれど気がつく
肩先の冷たさに
わたしたちにも、また、あったのだ
傘の容量から、はみだして
生きようとする
しずかなこころが

(1) 第一連に用いられている表現技法を、次から二つ選び、記号で答えなさい。
ア 擬人法　イ 直喩　ウ 体言止め　エ 対句
[　][　]

間違えやすい
(2) ——線部「あたたかい雨」がどういう思いで降ってくるのかが表現されている連続した二行を詩の中から探し、行番号で答えなさい。
[　・　]

ココ注意！
作者が、雨は何のために降ってくると感じているかを考える。また、行末に着目し、内容のうえから「あたたかい雨が降ってくる」に続く連を探す。

やや難
(3) この詩の作者は、何があることに気づいていますか。詩の中から十五字以内で抜き出して答えなさい。

サクッと入試対策④

解答8ページ

目標時間10分　　分

〔　月　日〕

1 次の短歌と俳句を読んで、あとの問いに答えなさい。

〔短歌〕

A 金色のちひさき鳥のかたちして銀杏《いちょう》ちるなり夕日の岡に　与謝野晶子《よさのあきこ》

B 思い出のひとつのようでそのままにしておく麦わら帽子のへこみ　俵《たわら》万智《まち》

C *くれなゐの二尺*伸びたる薔薇《ばら》の芽の針やはらかに春雨《はるさめ》のふる　正岡子規《まさおかしき》

D 隣室に書《ふみ》よむ子らの声聞けば心に沁《し》みて生きたかりけり　島木赤彦《しまきあかひこ》

*くれなゐ＝鮮やかな赤色。
*二尺＝一尺は約三十センチメートルなので、二尺は六十センチメートル程度。

〔俳句〕

E 古池や*蛙飛《かわずとび》込む水のをと　松尾芭蕉《まつおばしょう》

F 桐《きり》一葉日当《あた》りながら落ちにけり　高浜虚子《たかはまきょし》

G 咳《せき》の子のなぞなぞあそびきりもなや　中村汀女《なかむらていじょ》

H 足のうら洗へば白くなる　尾崎放哉《おざきほうさい》

*蛙＝カエルのこと。

---

(1) A〜Dの短歌の中から、四句切れの歌を一つ選び、記号で答えなさい。〔　　〕

(2) A〜Dの短歌の中から、a「隠喩」、b「体言止め」が使われている短歌を一つずつ選び、記号で答えなさい。　a〔　　〕　b〔　　〕

やや難

(3) ——線部「やはらかに」とありますが、柔らかなものを、Cの短歌の中から二つ抜き出して答えなさい。〔　　〕〔　　〕

間違えやすい

(4) E・Fの俳句について、季語を抜き出して〔　〕に書き、その季節を□に漢字一字で答えなさい。
E〔　　〕・□
F〔　　〕・□

ココ注意！ 季語が表す季節には、現代の感覚とずれているものがあったり、植物の花と実で季節が違ったりすることがあるので注意する。

(5) E〜Hの俳句の中から、自由律俳句に分類される句を一つ選び、記号で答えなさい。〔　　〕

(6) E〜Hの俳句の中から、母親に甘える子どもの様子を詠《よ》んでいる句を一つ選び、記号で答えなさい。〔　　〕

古文の基礎①

次の文章を読んで、あとの問いに答えなさい。

　*伊予《いよ》の入道《にふだう》は、をさなくより絵をよく書き侍《はべ》りけり。父*うけぬ事になん思へりけり。*無下《むげ》に幼少の時、父の家の中門の廊の壁に、*かはらけのわれにて不動の立ち給《たま》へるを書きたりけるを、客人《まらうと》誰とかや慥《たし》かに聞きしを忘れにけり。これを見て、「たがかきて候《さふら》ふにか」と、おどろきたる気色《けしき》にて問ひければ、あるじうちわらひて、「これは*まことしきもののかきたるには候《さふら》はず。愚息の子童《こわらは》が書きて候」といはれければ、*いよいよ尋ねて、然《しか》るべき*天骨とはこれを申し候ふぞ。この事制し給ふ事あるまじく候となんいひける。げにもよく絵見知りたる人なるべし。

（「古今著聞集」）

*伊予の入道＝藤原隆親《ふじわらのたかちか》。後年、絵師となる。
*うけぬ＝おもしろくない。
*無下に＝ずいぶんと。
*かはらけのわれ＝土器の破片。
*まことしきもの＝本格的な書き手。
*いよいよ＝ますます興味をもって。
*天骨＝天与の才能。

問い　この文章には客人の発言が二か所ある。「たがかきて候ふにか」以外の箇所を抜き出し、初めと終わりの四字を答えなさい。

入試得点アップ

歴史的仮名遣い

……線部に注目
・をさなく→おさなく
（他に、ぢ→じ、づ→ず）
・思へり→思えり
・わらひて→わらいて
その他に……
・語頭以外の
はひふへほ→わいうえお
例　いはれ→いわれ

語句の省略

古文では、主語や助詞が省略されている場合が多い。前後の文脈や文の構造に注意して、省略されている語句を読み取る。
例　主語の省略
（客人が）いよいよ尋ねて、……
例　助詞の省略
よく絵（を）見知りたる人……

入試重要ポイントTOP3

会話の部分をつかむ。
引用であることを示す（「……と」）に注目。

歴史的仮名遣い
現代仮名遣いに直すときのルールを確認する。

語句の省略
主語や助詞が省略されているのを補いながら読む。

［　月　日］

サクッと確認

■次の文章を読んで、あとの問いに答えなさい。

　城陸奥守泰盛《じやうむつのかみやすもり》は、*さうなき馬乗りなりけり。馬を引き出《いだ》させけるに、足をそろへて*閾《しきみ》をゆらりと越ゆるを見ては、「是《これ》は勇める馬なり」とて、鞍《くら》を置きかへさせけり。又、足を伸べて閾に蹴あてぬれば、是は鈍くして、あやまちあるべしとて、乗らざりけり。道を知らざらん人、かばかり恐れなんや。

（「徒然草」）

*さうなき＝並ぶものがない。
*閾＝敷居。

問い　この文章には二か所、泰盛の会話がある。「是は勇める馬なり」以外の箇所を抜き出して答えなさい。

やってみよう！入試問題

解答9ページ

10

目標時間10分　分

［　月　日］

1 次の文章を読んで、あとの問いに答えなさい。

人に*饗応《きやうおう》せられたる物をうましと思ひ、それを家にてこしらへ食する時は、外にて食したる時よりは①あじはひうまからず。いかにとなれば、家にては②思ひまうけて食ふがゆゑなり。食は、はからずして食する物にうまみはあり。されば③粗食たりとも、うまきは思ひよらざる所にあり。また、その時と所と、わが腹中に応じて、口にかなひたるよりうまき物はあるべからず。塩を添へたる湯漬けも、空腹には山海の珍味よりもうまし。④絵の道もしかなり。初めに画《か》きたるごとくと望めども、*写し出《い》でなば格別、筆勢墨色すべて、前によることなく、ふたたび*ならひすること*ありがたし。

（「雲萍雑志」）

*饗応＝食事などを用意して人をもてなすこと。
*写し出でなば＝「写しだすと」の意味。
*ならひ＝まねること。
*ありがたし＝「めったにない」の意味。

よく出る！

(1) ――線①「あじはひ」を現代仮名遣いに直して、ひらがなで書きなさい。

［　　　　］

(2) ――線②「思ひまうけて食ふ」の本文中での意味を次から選び、記号で答えなさい。

ア 自分で作ったものを自分で食べる
イ お金をたくさん稼いだときに食べる
ウ 人に作ってもらったものを食べる
エ うまいはずだと期待して食べる
オ あれこれと思い悩みながら食べる

［　］

(3) ――線部③「粗食」の具体例を、本文中から五字以上、十字以内で抜き出して答えなさい。

ココ注意！

「粗食」とは、粗末な食事という意味。

記述

(4) ――線部④「絵の道もしかなり」は「絵の道も同じだ」の意味だが、食べることと絵を描くことには、どんな共通点があると述べられているか。「感動」という言葉を用いて、二十字以上、三十字以内で書きなさい。

〔熊本〕

古文の基礎②

次の文章は、『竹取物語』の一場面で、かぐや姫に結婚の条件として求められた「火鼠《ひねずみ》の皮衣」（実は偽物）を持って訪れた右大臣に、姫や翁《おきな》が対面するところである。読んで、あとの問いに答えなさい。

かぐや姫、翁にいはく、「この皮衣は、火に焼かむに、焼けずはこそ、まことならめと思ひて、人のいふことにも負けめ。『世になき物なれば、それをまことと疑ひなく思はむ』と①のたまふ。②なほ、これを焼きて試みむ」といふ。

翁、「それ、さもいはれたり」といひて、大臣に、「かくなむ申す」といふ。大臣答へていはく、「この皮は、唐土《もろこし》にもなかりけるを、からうじて求め尋ね得たるなり。なにの疑ひあらむ」。「さは申すとも、はや焼きて見たまへ」といへば、火の中にうちくべて焼かせたまふに、めらめらと焼けぬ。「さればこそ、異物《こともの》の皮なりけり」といふ。

（「竹取物語」）

(1) ——線部①「のたまふ」の主語を本文中から抜き出して答えなさい。

(2) ——線部②「なほ」の意味を次から選び、記号で答えなさい。

ア やはり　イ だから
ウ もっと　エ まだ

入試得点アップ

敬語

主語を読み取る手がかりになる。

例 Aさん（身分が高い）、Bさん（Aさんより身分が低い）がいる場合。

・のたまふ（尊敬語）

…主語はAさんだとわかる。

重要な古語

・あはれ＝しみじみとした趣がある
・あさまし＝意外だ、情けない
・あやし＝不思議だ、身分が低い
・ありがたし＝めったにない
・いたづらなり＝むだだ、むなしい
・いみじ＝たいへんだ、すばらしい
・うつくし＝かわいらしい
・かたみに＝たがいに
・たまふ＝お与えになる（尊敬語）
・たてまつる＝さしあげる（謙譲語）

サクッと確認

■次の文章を読んで、あとの問いに答えなさい。

大方、延喜《えんぎ》の帝《みかど》、常に笑みてぞおはしましける。そのゆゑは、「まめだちたる人には、もの言ひにくし、うちとけたる気色《けしき》につきてなむ、人はものは言ひよき。されば、大小事《だいせうのこと》聞かむがためなり。」とぞ仰《おほ》せごとありける。それ、さることなり。けにくき顔には、もの言ひふれにくきものなり。

（「大鏡」）

① ——線部「笑みてぞおはしましける」の主語を本文中から抜き出して答えなさい。

② ——線部に含まれる「おはしましける」と同じような尊敬語を本文中から抜き出して答えなさい。

入試重要ポイントTOP3

［　月　日］

古語の意味
現代語と意味が異なるものを重点的に覚える。

古文の文法
基本的でよく用いられる助動詞・助詞を理解する。

敬語
尊敬・謙譲・丁寧の区別を明確にする。

やってみよう！入試問題

解答9ページ

目標時間10分　［　　］分

［　月　日］

1 次の文章を読んで、あとの問いに答えなさい。

*成通卿《なりみちきやう》、年ごろ*鞠《まり》を好み給《たま》ひけり。その徳やいたりにけむ、ある年の春、鞠の精、*懸《かか》りの柳の枝にあらはれて見えけり。*みづら結ひたる小児、十二三ばかりにて、青色の*唐装束《からさうぞく》して、いみじくうつくしげにぞありける。

なにごとをも始むとならば、底をきはめて、かやうの*しるしをもあらはすばかりにぞ、せまほしけれど、かかるためし、①いとありがたし。

されば、学ぶ者は*牛毛のごとし。得る者は*麟角《りんかく》のごとしともあり。

また、

することかたきにあらず。よくすることのかたきなりともいへる。②げにもとおぼゆるためしありけり。

（「十訓抄《じっきんしょう》」）

*成通卿＝平安時代の貴族、藤原成通。
*鞠＝球状の鞠を蹴り上げる競技、蹴鞠《けまり》。
*懸り＝蹴鞠をする庭の四隅に植えた木。
*みづら＝平安時代の少年の髪型。
*唐装束＝唐織物で作った晴着。
*しるし＝神仏が示す不思議な体験や御利益《ごりやく》。
*牛毛＝数が多いもののたとえ。
*麟角＝伝説上の霊獣である麒麟《きりん》の角。きわめてめずらしいもののたとえ。

---

(1) ――線①「いとありがたし」は、ここでは「とても難しく、簡単にはできないことである」という意味であるが、筆者はどのようなことを簡単にはできないとしているか。最も適切なものを次から選び、記号で答えなさい。

ア 鞠の精霊に何度も蹴鞠を挑むほどに、成通が勝負にこだわったこと。
イ 鞠の精霊が成通の前に姿を現すほどに、成通が蹴鞠を追求したこと。
ウ 鞠の精霊や子ども達が絶賛するほどの蹴鞠の技を、成通が披露したこと。
エ 鞠の精霊が唐装束を成通に贈るほどに、成通が蹴鞠に打ち込んだこと。

［　　］

ココ注意！ 前段の内容をしっかりとおさえる。

よく出る！

(2) ――線②「げにもとおぼゆるためし」の解釈として最も適切なものを次から選び、記号で答えなさい。

ア 難なく解決できると思える事例
イ 納得がいかないと思える事例
ウ 根本に問題があると思える事例
エ 本当にその通りだと思える事例

［　　］

〔京都〕

13 古文の読解

古典③

次の文章を読んで、あとの問いに答えなさい。

［愛宕《おたぎ》寺の鐘を鋳造した鋳物師《いものし》が、その鐘を三年間土に埋め、日を違《たが》えず掘り出したならば、人も撞《つ》かぬのに定時に時を告げる仕掛けを施して埋めた。］

然《さ》て、土に堀埋《ほりうづみ》てけるに、其後《そののち》、別当にて有《あり》ける法師、二年を過《すぎ》て、三年と云《い》ふに、未《いま》だ其《そ》の日にも不至《いたら》ざりけるに、否不待得《えまちえ》ずして、心もと無かりけるままに、云《い》ふ甲斐《かひ》無く堀開《あけ》てけり。然《しか》れば、「鋳《つ》く人も無《なく》て十二時に鳴る事は無て、只《ただ》有る鐘にて有る也けり。「鋳師の云《いひ》けむ様に、其の日堀出《ほりいだ》したらましかば、搥《つ》く人も無くて十二時に鳴《なり》なまし。然《さ》鳴《なら》ましかば、鐘の音を聞《きき》及ばむ所には、時をも慥《たしか》に知り、微妙《めでた》からまし。極《いみじ》く口惜しき事したる別当也」となむ、其の時の人云ひ謗《そしり》ける。

然《しか》れば、騒《さわが》しく物念じ不為《せ》ざらむ人は、必ず此《か》く弊《つたな》き也。心愚《おろか》にて不信なるが至す所也。世の人、此《これ》を聞て、努々《ゆめゆめ》不信ならむ事をば可《とどむ》止《べ》しとなむ語り伝へたるとや。

（「今昔物語集」）

問い　この文章はどのような話か。最も適切なものを次の**ア**〜**エ**から一つ選び、記号で答えなさい。

ア　不思議な予言をした鋳物師に皆がすっかりだまされた話。

イ　私利私欲に走った僧侶がたいへんな仏罰をこうむった話。

ウ　物ごとを信じず我慢ができなかったものが過ちを犯す話。

エ　鋳物師の本当の意図を見破った僧侶をたたえる話。

入試得点アップ

現代語訳

「心もと無かりけるままに、云ふ甲斐無く堀開てけり」

＝別当は鐘が気がかりで、情けないことに鐘を掘り出してしまった

・重要古語

・心もと無し→気がかりだ

・云ふ甲斐なし→情けない

・補ったもの　・主語…別当　・対象…鐘

動作主

「口惜しき事」とは何が口惜しいのか。

・誰が………別当が

いつ………期日の前に

どうした…鐘を掘り出した

主題

『今昔物語集』のような説話集の場合、その話の主題や編者の意図が最後の箇所にまとめられることが多い。

入試重要ポイントTOP3

現代語訳　注意すべき古語、省略されている主語などを明示して訳す。

動作主　登場人物を押さえ誰と誰がどうしたのかという文脈をつかむ。

主題　最も作者が言いたいところはどこか、ポイントをしぼりこむ。

［　月　日］

サクッと確認

■次の文章を読んで、あとの問いに答えなさい。

［宇治《うじ》の関白殿は、みすぼらしい衣服を着て鼎殿《かなえ》（宮中の、釜を置いた場所）に行ったところ、鼎殿の役人に追い返された。］

関白殿、先の悪《わろ》き衣服等を脱ぎ更《か》へて、顒々《ぎょうぎょう》と装束して出《い》で給《たま》ふ時、鼎殿、遙《はる》かに見て、恐れ入りて、逃げぬ。時に、殿下、装束を竿《さを》の先に掛け、拝せられけり。人、その故《ゆゑ》を問ふ。答へて云はく、「吾《われ》、人に貴《たつと》びらるること、我が徳に非《あら》ず。ただ、この装束故なり」と云へり。

（「正法眼蔵随聞記」）

問い　――線部の現代語訳として正しいほうを次から選び、記号で答えなさい。

ア　ただ、この衣装が欲しかったのだろう。

イ　ただ、この衣装を身につけているからだ。

やってみよう!入試問題

解答10ページ

目標時間10分　　分

〔　月　日〕

1 次の文章は、*鼓《つづみ》の名人と呼ばれた*新九郎《しんくろう》が、まだ権《ごん》九郎と名乗っていた時の話である。読んで、あとの問いに答えなさい。

近き頃名人と称し、*公《おおやけ》よりも*紫調《しらべ》給《たま》はりし新九郎事《こと》、権九郎といひし頃、日々鼓を*出精《しゅっせい》しけれども、①未《いま》だ心に落ちざる折から、年久しく召《めし》仕ひし老女、朝々茶など持て来たり権九郎へ給仕しけるが、或時《あるとき》申しけるは、「②主人の鼓も甚《はなは》だ上達」のよし申しければ、権九郎もおかしき事に思ひて、「女の事常に鼓は聞けど手馴《てな》れし事にもあらず。我が職分の上達を知るわけ」尋ね笑ひければ、老女答へて、「我*乱舞《らんぶ》の事知るべきやうなし。しかしながら親新九郎の鼓を数年聞きけるに、朝々煎《に》ける*茶釜へ音殊《こと》に響き聞《きこ》え侍《はべ》る。是《これ》まで権九郎の鼓はその事これなきところ、この四、五日は鼓の音毎《ごと》に茶釜へ響きける故《ゆゑ》、さてこそ上達を知り侍る」と答へけるとなり。年久しく耳馴るれば自然と微妙に、よし悪《あ》しも分かるものと、権九郎も感じけるとなり。

（『耳嚢《みみぶくろ》』）

*鼓＝能楽で使われる打楽器。　*新九郎＝親から子、師から弟子に引き継がれる名前。
*公＝将軍。　*紫調＝将軍が鼓の名人に与える、鼓につけるひも。
*出精＝精を出して務める。　*乱舞＝能楽。　*茶釜＝茶を煮出すのに用いる釜。

(1) ――線①「未だ心に落ちざる折から」の意味として最も適切なものを次から選び、記号で答えなさい。

ア まだ自分で美しいと思える鼓を作れないその時に
イ まだ自分で納得できる鼓の音が出せないその時に
ウ まだ自分で鼓の稽古を好きだと思えないその時に
エ まだ自分で誰が鼓の名人か判断できないその時に

〔　　〕

(2) ――線②「主人」とは誰のことか。最も適切なものを次から選び、記号で答えなさい。

ア 権九郎　イ 公
ウ 老女　エ 親新九郎

〔　　〕

ココ注意！ 老女は長年何をしてきたのかを考える。

よく出る！

(3) 本文の内容と合うものはどれか。最も適切なものを次から選び、記号で答えなさい。

ア 芸の上達に悩む人は、その道の名人の助言を聞くことで、練習方法のよし悪しに気付くことがある。
イ 一人で芸の練習をしてきた人は、他者と競い合った時に、自分の技量のよし悪しに気付くことがある。
ウ 経験を重ね一つの芸に精通した人は、他の芸を一見するだけで、腕前のよし悪しに気付くことがある。
エ 長い間芸に身近に接し続けてきた人は、自分が習っていなくても、芸のよし悪しに気付くことがある。

〔　　〕

〔栃木〕

漢文の基礎と読解

入試 重要ポイント TOP3

返り点
主な返り点の種類と使い方をマスターする。

書き下し文
書き下し文の決まりを覚える。

漢詩を理解する
漢詩の詩形を覚える。

［　月　日］

次の文章を読んで、あとの問いに答えなさい。

子《し》曰《いはク》、「吾《われ》十有五而《ニシテ》志《ス》二于学《ニ》一。三十而《ニシテ》立《ツ》。①四十而不惑《ハ》。②五十而《ニシテ》知《ル》天命《ヲ》。六十而《ニシテ》耳順《したがフ》。七十而《ニシテ》従《ヒテ》二心《ノ》所《ニ》レ欲《ほっスル》、不《レ》踰《こエ》レ矩《のりヲ》。」

（「論語」）

【書き下し文】
子曰く、「吾十有五にして学に志す。三十にして立つ。四十にして惑はず。五十にして天命を知る。六十にして耳順ふ。七十にして心の欲する所に従ひて、矩を踰えず」と。

【現代語訳】
先生（孔子）が仰《おつしや》るには、「私は十五歳で学問の道に志した。三十になって学問の基礎が確立した。四十になってあれこれと惑い迷うことがなくなった。五十になって天から与えられた私の使命を理解した。六十になって人の言葉を素直に受け入れられるようになった。七十になって自分の思う通りに行動しても人間として守るべき道を踏み外さなくなった。」と。

問い　――線①・②で省かれている返り点をつけなさい。

① 四十而《ニシテ》不惑《ハ》。

② 五十而《ニシテ》知《ル》天命《ヲ》。

入試得点アップ

主な返り点
・レ点…直前の一字に返る。
　登《ル》レ山《ニ》（山に登る）
・一・二点…二字以上を隔てて、下から上に返る。
　帰《ル》二故郷《ニ》一（故郷に帰る）
・㆑点…レ点と一点との併用
　冀《こひねがフ》二復《また》得《ンコトヲ》㆑兎《うさぎヲ》（復た兎を得んことを冀ふ）
（ほかに、上中下点・甲乙点・天地点などもある）

書き下し文の原則
・古典文法に従い歴史的仮名遣いで書く。
・送り仮名は平仮名で書く。

漢詩の形式
・五言絶句…五字・四句
・七言絶句…七字・四句
・五言律詩…五字・八句
・七言律詩…七字・八句

サクッと確認

■次の漢詩を読んで、あとの問いに答えなさい。

静《せい》夜《や》思《し》　李白《りはく》

牀《しやう》前《ぜん》看《みル》二月《げつ》光《こうヲ》一
疑《うたがフラクハ》是《レ》地《ち》上《じやうノ》霜《カト》
挙《ゲテ》レ頭《かうべヲ》望《ミ》二山月《ヲ》一
低《たレテ》レ頭《ヲ》思《フ》二故郷《ヲ》一

【書き下し文】
牀前月光を看る
疑ふらくは是れ地上の霜かと
頭を挙げて山月を望み
頭を低れて故郷を思ふ

【現代語訳】
寝台の前に差し込む月光を見て
地上に降りた霜かと見まがう
頭をあげては山の端の月を眺め
頭を垂れては故郷に思いをめぐらす

問い　この漢詩の形式として適切なほうを次から選び、記号で答えなさい。
ア 五言絶句
イ 五言律詩

やってみよう！入試問題

解答10ページ

目標時間10分　　分

1 次の漢詩は、江戸時代後期の漢学者である草場《くさば》佩川《はいせん》のものである。これを読んで、あとの問いに答えなさい。

山行示ス二同志ニ一

路《みち》ハ入ッテ二羊腸ニ一滑《なめ》ラカニ二*石《せき》苔《たい》一

*風ハ従《よ》リシテ鞋《あい》底《てい》掃《はら》ツテ雲ヲ廻《めぐ》ル

登ルハレ山ニ*恰《あたか》モ似《に》タリ書生ノ業

一《いっ》歩《ぽ》歩《ほ》高クシテ光景開ク

【書き下し文】

山行同志に示す

路は羊腸に入つて石苔滑らかに

風は鞋底よりして雲を掃つて廻る

山に登るは恰も似たり書生の業

一歩歩高くして光景開く

（「佩川詩鈔《ししょう》」）

*石苔＝石の上に生えた苔《こけ》。

*風従鞋底掃雲廻＝風は足下から吹き起こり、雲をはらうようにして山肌を吹きめぐる。

*恰似書生業＝ちょうど学生が勉学に励むことに似ている。

(1) この漢詩の形式を漢字四字で書きなさい。

□□□□

(2) ┈┈線部に、書き下し文の読み方になるように返り点をつけなさい。

〔風ハ従《よ》リシテ鞋《あい》底《てい》掃《はら》ツテ雲ヲ廻《めぐ》ル〕

ココ注意！　レ点と一・二点の正しい使い方を覚える。

(3) ――線部について、山道の様子を説明したものとして最も適切なものを次から選び、記号で答えなさい。

ア 山道は広く緩やかで、石の上の美しい苔が心をなごませる。

イ 山道は行き止まりになっており、辺りに苔むした石がある。

ウ 山道は日当たりがよく、石に生えた苔がきらきら光っている。

エ 山道は曲がりくねり、石の上の苔ですべりやすくなっている。

［　　］

(4) この漢詩の内容に関連することわざとして最も適切なものを次から選び、記号で答えなさい。

ア 習うより慣れよ　　イ 鉄は熱いうちに打て

ウ 学問に王道なし　　エ 好きこそ物の上手なれ

［　　］

〔大分―改〕

サクッと入試対策 ⑤

［　月　日］

目標時間10分　　分

解答11ページ

1 次のⅠ・Ⅱの文章を読んで、あとの問いに答えなさい。

Ⅰ　むかし、男ありけり。その男、身を①えうなきものに思ひなして、京にはあらじ、あづまの方にすむべき国もとめにとてゆきけり。もとより友とする人、ひとりふたりしていきけり。道しれる人もなくて、まどひいきけり。三河《みかは》の国八橋《やつはし》といふ所にいたりぬ。そこを八橋といひけるは、水ゆく河の*くもでなれば、橋を八つわたせるによりてなむ、八橋といひける。その沢のほとりの木のかげにおりゐて、*かれいひ食ひけり。その沢にかきつばたいとおもしろく咲きたり。それを見て、ある人のいはく、かきつばた、といふ五文字を句のかみにすゑて、旅の心をよめといひければ、よめる。

から衣きつつなれにしつましあれば
はるばるきぬるたびをしぞ思ふ

とよめりければ、みな人、かれいひの上に涙おとして*ほとびにけり。

Ⅱ　なほゆきゆきて、武蔵《むさし》の国と下つ総《ふさ》の国とのなかにいと大きなる河あり。それをすみだ河といふ。その河のほとりにむれゐて、思ひやれば、かぎりなく遠くも来にけるかな、とわびあへるに、渡守《わたしもり》、「はや船に乗れ、日も暮れぬ」といふに、乗りて渡らむとするに、みな人ものわびしくて、京に思ふ人②なきにしもあらず。さるをりしも、白き鳥の、はしとあしと赤き、鴫《しぎ》の大きさなる、水の上に遊びつつ魚《いを》を食ふ。京には見えぬ鳥なれば、みな人見しらず。渡守に問ひければ、「これなむ都鳥」といふを聞きて、

名にしおはばいざ言問《こと と》はむみやこどり
わが思ふ人はありやなしやと

とよめりければ、船こぞりて泣きにけり。

（「伊勢物語」）

*くもでなれば＝クモの足のように河が四方八方に分流している。
*かれいひ＝乾かした携帯用の飯。
*ほとび＝ふやける。

(1) ——線①「えうなき」は現代表記では「ようなき」であるが、男は自分の身をどのように思ったのか。「〜身。」に続くように五字以内の現代語で答えなさい。

［　　　　　］身。

(2) Ⅰの文章では、会話文の「 」が省略されている部分がある。会話文の初めと終わりの五字をそれぞれ抜き出して答えなさい。

［　　　　　］～［　　　　　］

ココ注意!
会話文の直前は、「言うには『……』」となっていることが多い。また、会話文の直後は、「『……』と」となっていることが多い。

(3) ——線②「なきにしもあらず」の解釈として適切なものを次から選び、記号で答えなさい。

ア　いないはずがない
イ　いないわけではない
ウ　いないかどうかわからない
エ　いないこともある

［　　］

サクッと入試対策 ⑥

解答11ページ

10

目標時間10分　　分

［　月　日］

1 次の文章を読んで、あとの問いに答えなさい。

楚《そ》ニ有リ二*祠《まつ》ル者一。賜《たま》フ二其《そ》ノ*舎人《とねり》ニ*卮《し》酒《しゅ》ヲ一。舎人相謂《い》ヒテ曰《い》ハク、「数人飲マバレ之《こ》レヲ不レ足ラ。一人飲マバレ之レヲ有レ余リ。請《こ》フ、画《ゑが》キテレ地ニ為《つく》リレ蛇ヲ、先《ま》ヅ成ル者飲マントレ酒ヲ。」一人ノ蛇先ヅ成ル。引キレ酒ヲ且《まさ》ニレ飲マントレ之レヲ。乃《すなは》チ左手モテ持シレ卮ヲ、右手モテ画キテレ蛇ヲ曰ハク、「吾《われ》能《よ》ク為《す》ルトレ之ガ足ヲ一。」未《いま》ダレ成ラず。一人之《の》蛇成ル。奪ヒテ其ノ卮ヲ曰ハク、「蛇ニハ固《もと》ヨリ無シレ足。子《し》安《いづ》クンゾ能ク為ランレ之ガ足ヲ一。」遂《つひ》ニ飲ム二其ノ酒ヲ一。為ル二蛇ノ足ヲ一者、終《つひ》ニ亡《うしな》フ二其ノ酒ヲ一。

（「戦国策」）

＊祠者＝神を祀る者。　＊舎人＝その家の門人。　＊卮酒＝大きな盃に入った酒。

【書き下し文】

楚に祠る者有り。其の舎人に卮《し》酒《しゅ》を賜ふ。舎人相謂ひて曰はく、「数人之れを飲まば足らず。一人之れを飲まば余り有らん。請ふ、地に画きて蛇を為り、先づ成る者酒を飲まん」と。一人の蛇先づ成る。酒を引き且に之を飲まんとす。乃ち左手もて卮を持し、右手もて蛇を画きて曰はく、「吾能く之れが足を為る」と。未だ成らず。一人の蛇成る。其の卮を奪ひて曰はく、「蛇には固より足無し。子安んぞ能く之れが足を為らん」と。遂に其の酒を飲む。蛇の足を為る者、終に其の酒を亡《うしな》ふ。

【現代語訳】

楚の国に神を祀る者がいた。あるとき門人たちに大きな盃に入った酒を与えた。門人たちは話し合って「数人でこの酒を飲んだら足りない。一人で飲んだら余るだろう。そこで地面に蛇の絵を描いて、先に描きあげた者が、この酒を飲もうじゃないか。」といった。やがて一人の男が先に描きあげた。男は酒を引き寄せてまさに飲もうとした。そこで左手で盃を持ち、右手で蛇を描きながら「私は（余裕で）蛇の足を描けるよ」といった。その足はまだ出来上がらない。もう一人の蛇が描きあがった。するとその盃を奪い取って「蛇には元々足なんかない。□」といって、その酒を飲んでしまった。足を描こうとした者は、結局酒を飲みそこなってしまった。

(1) 【書き下し文】を参考にして、――線部に返り点をつけなさい。

〔奪　其《ヒテ》ノ　卮《ヲ》　曰、《ハク》〕

(2) 【書き下し文】を参考にして、□にあてはまる現代語を答えなさい。

記述

［　　　　　　　　　　　　　］

ココ注意！

「安んぞ〜や」は反語形。言おうとする内容と反対のことを疑問形で表す強調表現。

(3) この話から生まれた故事成語を漢字二字で答えなさい。

□□

論説文①

次の文章を読んで、あとの問いに答えなさい。

ア自分にとっての幸せの基準、幸せの尺度はどんどん変わっていくのが普通です。

独身生活を謳歌《おうか》しているときは、自分の稼いだお金は全部自分の好きなように使えます。プライベートな時間も、自由に好きなことに使えます。そういうときの「これがあると幸せだ」と、結婚し、子どもができて家族としてのお金の使い方を考え、イ家族としての時間の過ごし方を考えるようになってからの「これがあると幸せだ」は自《おの》ずと違ってきます。

お金も時間も自分の好きにできることが幸せかといえば、そんなことはありません。ウ自分自身の欲求が充《み》たされることよりも、家族が幸せであることのほうが、優先順位が高くなっていくものです。みんながそうとは限りませんが、多くの人はそうなっていきます。

それは「諦《あきら》め」ではなく、「明らめ」です。エ明らかに見きわめることができるようになってきたということなのです。

（齋藤《さいとう》 孝《たかし》「35歳のチェックリスト」）

問い ――線部「それ」は、本文中の〜〜線**ア**〜**エ**のどれを指すか。最も適切なものを一つ選び、記号で答えなさい。

入試得点アップ

指示語

・「これ」「その」「あちら」など、直前に書かれた内容を受けて、あとにつなぐ言葉を指示語という。

・指示語の指す内容は、多くの場合、指示語より前に書かれている。前に書かれていることを丁寧に読み、指している内容を読み取ろう。

例 玄関にスマホを置いておいた。しかし、家を出るとき、それを忘れてきてしまった。

・指示語の内容を読み取ったら、それを指示語にあてはめて、意味が通るかを確認すること。

例 玄関にスマホを置いておいた。しかし、家を出るとき、それ（スマホ）を忘れてきてしまった。

入試重要ポイントTOP3

指示語の読み取り
指示語の問題は、入試で頻出。指し示す内容を読み取ろう。

指示語の指す内容
指示語の指す内容は、多くの場合、指示語より前にある。

指示内容の確認
解答を指示語にあてはめて、意味が通るかを確認しよう。

［　月　日］

サクッと確認

■次の文章を読んで、あとの問いに答えなさい。

目のない世界では、生物の体に色や形があっても意味がありません。しかし目ができると、それが仲間の目を引きつけたり、敵の目から逃れるために、威嚇や警告をしたり、敵の目をだましたりと、いろいろな形や色の体へと進化がはじまったのです。生き物には、いろいろな形、いろいろな模様、いろいろな色がありますが、それは生き物が「目をもっている」からなのです。

（布施英利《ふせひでと》「色彩がわかれば絵画がわかる」）

問い ――線部「それ」が指す内容を次から選びなさい。

ア 生物にいろいろな形や模様、色があること。

イ 生物が敵の目から逃れるために進化したこと。

やってみよう！入試問題

解答12ページ

10

目標時間10分　［　　］分

［　月　日］

1 次の文章を読んで、あとの問いに答えなさい。

アイデンティティをめぐる問いというのは、生き方の軸となる価値観の探求であり、より現実的には職業選択をめぐる葛藤《かっとう》といえる。どう生きるのが自分にふさわしいのか。それは、何をして暮らすのかということでもあり、職業というものを無視して答えを出すのは難しい。*エリクソンも指摘しているように、青年期のアイデンティティをめぐる葛藤の中核には、いわば職業的アイデンティティを固めることができないということがあるのだ。

でも、今はそんな時代じゃない。止まるところを知らない*ＩＴ革命の波により、世の中の仕事の形態も僕たちの*ライフスタイルも目まぐるしく変化していく。だれもがこの社会で生きていく限り、そうした変化に適応していかなければならない。自分を社会につなげていくというのは、ますます難しい課題になってきている。

そうなると、「これが自分らしい生き方だ」というアイデンティティの思想的な核の部分は変わらないにしても、「何をして生きるか」「どのように暮らすか」という具体的な部分は絶えず見直しを迫られることになる。

①そんな時代ゆえに、僕は、アイデンティティは人生の節目節目に問い直され、その時々の社会的状況や自分の置かれた状況にふさわしい形につくり直されると考えている。ただし、たとえ暫定的なものではあっても、②社会に出て行くに当たって初めて自己のアイデンティティをめぐる問いに対して回答を与えるという意味で、アイデンティティの確立は、思春期から青年期にかけて格闘すべき重要な課題と言えるだろう。

（榎本博明《えのもとひろあき》「〈自分らしさ〉って何だろう？　自分と向き合う心理学」）

*エリクソン＝アメリカの精神分析家・思想家。　*ＩＴ革命＝情報技術革命。
*ライフスタイル＝人生観・価値観などに基づき、個々に選択する個人や集団の生き方。

(1) ——線①「そんな時代」とあるが、どのような時代か。最も適切なものを次から選び、記号で答えなさい。

ア アイデンティティの価値が不安定になり、その中核すら脅《おびや》かされるような時代。
イ 大人がどんな生き方をするのかをだれもが知り、大人像が明確で揺るがない時代。
ウ アイデンティティの確立が青年期の最も重要な課題だと考えられるような時代。
エ あらゆるものが目まぐるしく変化し、その変化に対応することを絶えず迫られる時代

［　　］

(2) ——線②「社会に出て～回答を与える」とあるが、「回答を与える」とは、ここでは具体的にどうすることか。本文中の言葉を使って、「……こと」に続くように七字で答えなさい。

［　　　　　　　］こと

〔十文字高〕

16

論説文②

説明的文章②

入試重要ポイントTOP3

接続語の補充
接続語の問題は、入試で頻出。前後の関係を読み取る。

接続語の働き
接続語の種類と働き、属する接続語を覚えておく。

接続語を選ぶ
前後のつながり方を読み取り、適切な接続語を選ぶ。

［　月　日］

次の文章を読んで、あとの問いに答えなさい。

何の中身も持たないあいさつの言葉には、相手をとりあえずは笑顔にし、軽く会釈させる、という身体への働きかけの力がある。ところが日本語には、「ハーイ」や「ハロー」に相当するような、いつ、どんなときでも使えるあいさつの言葉が少ない。「どうも」がそれに近いが、「どうも」には相手の笑顔を誘い出すような言葉力はない。

となると、やはり「こんにちは」がいちばん標準的なあいさつの言葉ということになるだろうが、考えてみると私たちは日ごろあまり、「こんにちは」を口にしていないのではないか。

「こんにちは」には特別な意味があるわけではない。□、意味がない言葉だからこそ、場を和ませ、自分や相手の身体をほぐす力がそこには秘められている。「どうも」と言うかわりに今日からは、「こんにちは」とちょっと声のトーンを高くして口にしてみてはどうだろう。

（香山《かやま》リカ「言葉の力」）

問い □にあてはまる接続語として最も適切なものを次から選び、記号で答えなさい。

ア だから　イ しかし
ウ さらに　エ なぜなら

入試得点アップ

接続語

・語句と語句、文と文、段落と段落などをつなぎ、どんな関係でつながっているかを示す言葉を接続語という。

・接続語の種類と働きを理解しておく。

順接…理由・原因を結果につなぐ。
だから・そこで・したがって

逆接…反対の内容をつなぐ。
しかし・でも・だが・ところが

並立・累加…並べる、付け加える。
また・さらに・しかも・そのうえ

対比・選択…比べたり、選んだりする。
あるいは・それとも・または

説明…言い換え、理由、条件などを続ける。
つまり・なぜなら・ただし

転換…話題を変える。
さて・ところで・では

サクッと確認

■次の文章を読んで、あとの問いに答えなさい。

明快な文章を、というのは、ただ、わかりやすければいいというのとはすこし違う。戦後ずっと、わかりやすく書けと言われてきたけれども、そのわりに文章は平明にはならなかった。字づらはやさしくても、ふにゃふにゃして、とらえどころのないような文章がふえた。

明快な文章は骨をもっていなくてはならない。筋道が通っている必要がある。つまり、論理的であって、□、わかりやすい、それが明快な文章ということになる。

（外山滋比古《とやましげひこ》「日本の文章」）

問い □にあてはまる接続語を次から選び、記号で答えなさい。

ア または　イ しかし
ウ しかも　エ だから

やってみよう！入試問題

解答12ページ

目標時間10分 分

［　月　日］

1 次の文章を読んで、あとの問いに答えなさい。

植物も他の個体と受精する仕組みを発達させている。昆虫や風を利用して他の個体へ巧みに花粉を運び、一方では他の個体の花粉を巧みに受け取るのである。しかしもう一つ必要なことがある。自分の花粉で自分が受精する自家受粉を回避しなければならないのだ。

オオバコは一つの穂の中に雌花と雄花とを持っているが、雌花のほうが先に咲き雄花は時期が遅れて咲くようになっている。「雌性先熟」と呼ばれるシステムである。もちろん雑草の種類によっては逆に雄花が先に咲く「雄性先熟」もある。こうして花期をずらすことで物理的に自家受精を防いでいる。

あるいは自家不和合性と呼ばれるシステムもある。これは自分の雌しべに自分の花粉が着いた場合、化学物質などを分泌させて自分の花粉の発芽や成長を阻害するのである。

このような複雑なシステムを発達させながら、植物は自殖を回避し他殖を優先させている。

□、他殖には欠点もある。その一つは、相手がいないと交配することができないということである。他の個体から花粉をもらうと言っても、周りに自分と同じ種類の植物が見あたらなければ他殖は随分と頼りないものになる。

もう一つの欠点は、*コストがかかるということである。昆虫に花粉を運んでもらう花であれば昆虫を寄せるために花びらをつけたり、花を大きく見せたりしなければならない。また、昆虫の餌となる蜜も必要である。風に花粉を運んでもらう花であれば、花粉がどこへ飛んでいくかは不確かであるから、かなり多量の花粉を作らなければならない。このように他殖では余分なコストがかかってくる。しかも、それだけのコストを払っても交配できない可能性もあるのである。

（稲垣栄洋《いながきひでひろ》「雑草の成功戦略」一部表記を改めたところがある。）

＊コスト＝ものを生産するのに要する費用。

(1) ——線部「花期をずらすことで物理的に自家受精を防いでいる」とあるが、オオバコはどのように花期をずらすことで物理的に自家受精を防いでいるか。それが最もよくわかる部分を、本文中から二十一字で抜き出して答えなさい。

ココ注意！ 具体的にどのようにしているかが書かれている部分を探す。

(2) □にあてはまる言葉として、最も適切なものを次から選び、記号を答えなさい。

ア つまり　イ それとも
ウ なぜなら　エ しかし

［　　］〔三重〕

17 論説文 ③

次の文章を読んで、あとの問いに答えなさい。

書く力がつくと、確実に読む力もアップする。本を読むときには、どうやって書いたんだろうと想像しながら読むのが、いちばん理解が進む。逆に言えば、書く側に立ったことのある人でないと、本当には読むことはできないのだ。

箱根駅伝をただ見ているだけでは、「あの走り方はこうだ」などと解説してみても、十キロ程度を走ったことがなければ、本当には何もわからないのと同じことだ。

わかった気になってものを言うことはできる。たとえば、ハンマー投げを見ていても、「あれはね……」などと語れるだろう。しかし、ハンマーを投げたことがある人とない人とでは言えることが違うはずだ。レベルは違っても、投げたことがある人には、その感覚が残っていて、そこから類推してリアリティをとらえることができる。

同じように書く側に立つと、書き手の思考回路により近づくことができるので、読む力が格段につき、読書から得るものが非常に大きくなる。

（齋藤《さいとう》 孝《たかし》「原稿用紙10枚を書く力」）

問い ――線部「書く側に立ったことのある人」が、読書から得るものが多いのはなぜですか。その理由を「～から」につながるように本文中から二十字で探し、初めの五字を抜き出して答えなさい。

入試得点アップ

理由・根拠を述べるときの表現

・理由を表す表現に着目する。

例 「（理由）からです」「（理由）ので、……」「（理由）ためです」

・順接の接続語「だから・それゆえ」などに着目する。接続語の前に理由がある。

例 冬は空気が澄んでいる（理由）。だから、星がきれいに見える。

・説明の接続語のうち、理由を述べるときに使う「なぜなら」に着目する。接続語のあとに理由がある。

例 冬は星がきれいに見える。なぜなら、冬は空気が澄んでいる（理由）からだ。

理由・根拠の位置

理由・根拠が――線部の近くにある場合が多いが、離れている場合もある。離れている場合は、――線部の内容を繰り返している部分、似た内容が述べられている部分に着目する。

サクッと確認

■次の文章を読んで、あとの問いに答えなさい。

明治十年に動物学者として東大のお雇い教授となり大森《おおもり》貝塚を発掘したアメリカ人モースも、「貧乏人は存在するが貧困は存在しない」と言ったのです。欧米では一般に裕福とは幸福を意味し、貧しいとは惨《みじ》めな生活や道徳的堕落など絶望的な境遇を意味していました。だから、この国ではまったくそうでないことに驚いたのです。

（藤原正彦《ふじわらまさひこ》「日本人の誇り」）

問い ――線部「この国ではまったくそうでないことに驚いた」とありますが、なぜ驚いたのですか。その根拠となる考え方を述べている一文を本文中から探し、初めの五字を抜き出して答えなさい。

入試重要ポイントTOP3

理由・根拠の読解① ――線の内容を指す言葉、同じ言葉がある部分に着目する。

理由・根拠の読解② 理由を述べる言葉「から・ので・ため」などに着目する。

理由・根拠の読解③ 順接の接続語「だから」などがあれば、その前に理由がある。

［　月　日］

やってみよう！入試問題

解答13ページ

目標時間10分　　分

［　月　日］

1 次の文章を読んで、あとの問いに答えなさい。

　新しいことを発見する力をつけるには、いま、専門の本だけを読んではいけないのである。いろんな本を、手当たり次第読む。乱読である。そうすると、読む側の頭に眠っていた関心とひびき合う考えに、偶然の出会いをする。まず、何より不思議な喜びを覚える。おもしろいと感じる。新しいものを見つけたという気がする。

　これが、小さいながらセレンディピティである。自分の専門とする分野の本を読んでいたのでは決しておこらないことが、乱読で得られる。

ⓐ
　近代の人間は、日本だけでなく、どこの国においても、活字の方が話すことばより、高級であるという考え方にとらわれている。学問のある人間は、本を多く読んでいる。学問のない人、本を読まない人は、耳学問だといって軽蔑《けいべつ》される。

　頭のはたらきから言えば、話すのは書く以上に難しいらしい。ただ、書くには読み書きの技術を学ぶ必要があり、かつてそういうことを学ぶ人が少なかったため、多くはあきらめたのである。

　知的活動として話すことはきわめて重要なものである。ときには、文章を書く以上に価値のあることもある。活字文化によって①そのことがかくれてしまってきたのである。

　話す、といっても、ひとりごとは別である。ひとりごとは、ことばらしいことばではない。相手がいるときの話は力をもっている。話すことばによる知的活動は、文字表現を支える論理とは異なるルールを求める。それを結晶させたのが、*弁証法と呼ばれる。これは、*独語、執筆にあたっての個人的なことばでなく、コミュニケーションをベースにしていて②創造的である。

　三人以上が集まって話し合う、おしゃべりをするというのは、いかにも低次に生活的で、知的活動とは考えられないのが普通である。おしゃべりはムダ話としてバカにされている。

（外山滋比古《とやましげひこ》「聴覚思考」）

*弁証法＝対話や弁論の技術。　*独語＝ここでは、ひとりごと。

（1）本文中のⓐで示した部分には、――線①の理由について、筆者の考えの要点が述べられている一文がある。その一文の、初めの五字を抜き出して答えなさい。

ココ注意！
まず、――線①の「そのこと」が指している内容を捉え、設問の意図をつかんでからⓐの内容を読んで考える。

（2）――線②「創造的である」とあるが、筆者は何について「創造的である」と評価しているのか。本文中から一語で抜き出して答えなさい。

［　　　　］

〔静岡―改〕

18 論説文④

次の文章を読んで、あとの問いに答えなさい。

科学の共有知*とは、倫理意識、真実を追究しているという自覚、問題を総合的に捉える視点（総合知）、権威主義からの脱却、などのことと言えそうである。それなら、わざわざ「科学の」とつける必要はない。人間が一般に持つべき倫理規範であるからだ。それらは個人のままでは体得し難《がた》いから、多くの人間との交わりの中で学んでいくべき、という意味で共有すべき知恵なのである。

科学者は一般に世間が狭いから接触できる人間が限られ、*部分知でしかないのに共有知と誤認してしまう危険性がある。また、科学の業績は個人の才能によって成し遂げられるものだから、共有知なんて不要という科学者もいる。しかし、科学が社会に活《い》かされるためには、科学者が社会と倫理規範を共有する必要がある。この当たり前の前提を科学者は学ばねばならない。それに、科学の仕事には運（タイミング）も不可欠の条件である。セレンディピティという言葉があるように、大きな仕事をするためには思いがけない幸運に巡り会うことも重要な条件で、それを的確につかみ取るには共有知が何より大事という事ではないだろうか。

（池内《いけうち》　了《さとる》「現代科学の歩きかた」）

*共有知＝人間が一般的に持っている知識。　*部分知＝専門的で領域の狭い知識。

問い　この文章で筆者が主張していることがまとめられている一文を本文中から探し、初めの五字を抜き出して答えなさい。

入試得点アップ

文章の構成を、結論の位置に着目して捉える

・頭括型…結論→本論
最初に結論を述べ、あとに結論にいたった根拠や具体例などを述べる。

・尾括型…（序論→）本論→結論
最後の結論にたどりつくように、論を展開する。（最初と最後に結論を繰り返す型もあるが、この型が多い。）

・段落相互の関係は、段落の初めに用いられている接続語や指示語によってわかる場合も多い。

例　しかし…反対の内容が続く。
ところで…話題が変わる。
たとえば…例を挙げている。
つまり・このように…まとめている。
また…似た内容を並べる。

筆者の主張を捉える

・結論の部分で述べている筆者の意見や考えを読み取る。

入試重要ポイントTOP3

段落構成　結論が最初か、最後かに着目し、結論の位置を捉える。

段落相互の関係　指示語や接続語に着目して捉える。

筆者の主張　結論の部分に着目し、筆者が述べている考えを読み取る。

［　月　日］

サクッと確認

■次の文章を読んで、あとの問いに答えなさい。

これが「正解」だと教えられて、それを鵜呑《うの》みにするのは「二流」の知性に過ぎない。本物の知性とは、前提になっていることを疑うこと、通常行われている知的営みの枠組み自体を再構築することだろう。そのような態度は、現代文明を支えるイノベーション*を起こす上で欠かせない。

（外山滋比古《とやましげひこ》「聴覚思考」）

*イノベーション＝革新。一新。

問い　この文章の筆者の主張をまとめた次の文の□にあてはまる言葉を本文中から探し、初めと終わりの五字を抜き出して答えなさい。

現代文明を支えるイノベーションを起こす上で欠かせない「本物の知性」とは、□することである。

やってみよう！入試問題

解答13ページ

目標時間10分　　分

［　月　日］

1 次の文章を読んで、あとの問いに答えなさい。

敬語といっても、丁寧語、尊敬語、謙譲語、また丁重語、美化語という分類もあり、使い方のルールや仕組みがあります。これらを身に付けていく上で大切なことは、二つの基本を押さえておくことです。

第一に、敬語はモノや行為を敬うのではなく、あくまで人を敬う表現であるということです。そして、第二に、敬語は人と人との距離を保つための表現であるということです。

第一の点について、例えば「お洋服」と言いますが、これは服を敬って言っているのではなく、持ち主を敬っている表現です。また、行くの尊敬語で「いらっしゃる」と言いますが、これも行くという行為ではなく、行為する人を敬っている表現です。

「あなたのお洋服」とは言っても、「お前のお洋服」とは言いません。「先生がいらっしゃる」とは言っても、「あいつがいらっしゃる」とは言いません。これは、主語と述語の不整合というよりも、〝お前〟とか〝あいつ〟呼ばわりする人は、そもそも敬っていないので、その持ち物や動作なども敬語の対象にはならない、ということです。

第二の点ですが、敬語は、敬うべき人に対してだけ使うものではなく、対等・水平の関係の人に対しても用います。敬語の本質は、相手との距離を保つことにあるのです。

例えば初対面の人には、まずは互いに敬語を使って会話します。これは、知らない者同士、なれなれしくしてはいけない間柄ですから、敬語で距離を保つわけです。そして、学校でも職場でも近所でも、親しくなるにつれて、うち解けた言葉遣い、敬語を使わない会話へと変化していきます。〝です・ます調〟の言葉遣いを、そんなに早くやめていいのか、あるいは、これ以上続けてよいものか、よく相手や周囲の状況を考えてタイミングを計る、そういう聡明《そうめい》さも備えたいものです。

（北原保雄《きたはらやすお》「日本語の常識アラカルト」）

(1) 本文中で筆者は、対等・水平の関係の人に対してどのように敬語表現を使い分けていけばよいと述べているか。その内容についてまとめた次の文の［a］に入れるのに最も適しているひとつづきの言葉を、本文中から八字で抜き出して答えなさい。また、［b］に入る内容を、「敬語」という語を用いて、具体的に六十字程度で書きなさい。

［a］を考慮しながら、［b］というように言葉を使い分けていけばよい。

a

記述

b

〔大阪〕

サクッと入試対策 ⑦

解答14ページ

目標時間10分 ［　］分

［　］月［　］日

1 次の文章を読んで、あとの問いに答えなさい。

パリのトロカデロには、モニュマン・フランセ（フランス記念建造物）の美術館と称するものがあって、そこには、中世やルネサンスの壁画、彫刻などの文字通り「寸分違《たが》わぬ」コピーが収められている。ロマネスク時代の壁画など、本物は薄暗い不便な場所にあって、たとえ現地に出かけて行っても、普通では充分に鑑賞することの出来ないものが少なくないが、この美術館に行けば、良好な条件でゆっくり眺めることが出来る。そのうちのいくつかのものは、もとの教会堂が荒廃して亡失*の危機が伝えられているが、もし実際にもとの建物が失われてしまったら、この美術館に収められたコピーが、過去の有様を伝える唯一の貴重な証言となってしまう。［①］、その記録的、資料的、教育的価値はきわめて大きいと言ってよいのだが、たとえいかにそれが貴重なものであっても、失われたもとの壁画と同じ価値を持つことは出来ない。それはあくまでも「二十世紀のコピー」として、永遠に伝えられていくのである。

［②］、伊勢《いせ》神宮においては、コピーが本物にとって代わる——というか、コピーこそが本物である——という、西欧の論理ではあり得ないはずのことが、現実に行なわれている。神殿が二十年ごとに建て直されるというのは、もともとは建物が古くなって損傷が激しくなったから新しいものに代えるという理由から始められたものであろうが、③それは、本物がいたんできたからコピーで間に合わせるというものではない。新しく出来上がった瞬間に、それは「本物」となるのである。

（高階秀爾《たかしなしゅうじ》「増補　日本美術を見る眼—東と西の出会い」）

＊亡失＝失いなくすこと。

(1) 本文中の［①］と［②］にあてはまる最も適切な言葉を、それぞれ次から選び、記号で答えなさい。

ア　ところが　イ　なぜなら　ウ　したがって
エ　たとえば　オ　ところで

①［　］　②［　］

ココ注意！ ［②］は、「パリ」の話から「伊勢神宮」の話に変わっているが、話題が転換しているのではない。内容の上からつながり方を読み取る。

記述 (2) ——線③「それ」は、どんなことを指していますか。本文中の言葉を用いて、具体的に二十五字以内で書きなさい。

1 次の文章を読んで、あとの問いに答えなさい。

いまの日本の教育現場を見てみますと、残念なことに「失敗は成功のもと」「失敗は成功の母」という考え方が、ほとんど取り入れられていないことに気づきます。それどころか、重視されているのは、決められた設問への解を最短で出す方法、「こうすればうまくいく」「失敗しない」ことを学ぶ方法ばかりです。

これは受験勉強にかぎりません。実社会でも通用する知識・教養を教える最高学府であるはずの大学での学習もまた同じです。失敗から学ぶ体験学習のように、自分の力で考え、失敗経験を通じて新たな道を模索する、創造力を培《つちか》う演習が行われる機会は、悲しいかなほとんどありません。これが、「日本人の欠点」として諸外国から指摘され、また、自らも自覚している「創造力の欠如」にそのまま結びついているのではないでしょうか。

たしかに以前は、ほかの人の成功事例をマネすることが、成功への近道だった時代がありました。そうした時代には、決められた設問に正確な解を素早く出す学習法が有効だったのは事実です。

しかし、ほかの人の成功事例をマネすることが、必ずしも自分の成功を約束するものではなくなったのがいまの時代です。昨日までの成功は、今日の成功を意味しません。そのような時代に大切なのは、やはり創造力です。そして創造力とは新しいものをつくりだす力を意味している以上、失敗を避けて培えるものではありません。

創造力を身につける上でまず第一に必要なのは、決められた課題に解を出すことではなく、自分で課題を設定する能力です。

（畑村《はたむら》洋《よう》太郎《たろう》「失敗学のすすめ」）

(1) ――線部「重視されているのは……方法ばかり」とあるが、こういう学習法を重視する根拠を述べた文として最も適切な一文を本文中から探し、初めの五字を抜き出して答えなさい。

ココ注意!

――線部のすぐ近くに答えがあるとは限らない。近くにない場合は、――線部にある言葉、同様の内容が出てくる部分に着目して捉える。

(2) 筆者は、いまの時代、どんなことが必要だと述べているか。それを説明した次の文の a と b にあてはまる言葉を、a は九字で、b は三字で、それぞれ本文中から抜き出して答えなさい。

失敗を避けようとするのではなく、自分で a を培うことによって、 b を身につけること。

a

b

小説①

文学的文章①

次の文章を読んで、あとの問いに答えなさい。

県大会の前日はさすがに七時前に克久《かつひさ》も家に帰って来た。「ただいま」と戻った姿を見た百合子《ゆりこ》はたちまち全てを了解した。了解したから、トンカツなどを揚げたことを後悔した。大会にカツなんて、克久流に言えば「かなりサムイ」しゃれだった。

「ベンちゃんが今日は早く風呂《ふろ》に入って寝ろってさ」

「そうなんだ」

百合子はこんな克久は見たことがなかった。なんでもなく、普通そうにしているけれども、全身に緊張があふれていた。それは風呂場で見せる不機嫌な緊張感とはまるで違った。ここに何か、一つでも余分なものを置いたら、ぷつんと糸が切れる。そういう種類の緊張感だった。

彼は全身で、いつもの夜と同じように自然にしてほしいと語っている。

（中沢《なかざわ》けい「楽隊のうさぎ」）

問い この文章の場面として最も適当なものを次から選び、記号で答えなさい。

ア 県大会に敗れて落ちこむ克久を、家族がなぐさめる場面。
イ 県大会での勝利を祈る家族の思いを、克久が察する場面。
ウ 家族が自分の緊張を理解せず、克久が不機嫌になる場面。
エ 克久の緊張を察した家族が、克久に気を遣っている場面。

入試得点アップ

場面を読み取る

・「時」（いつ）・場所（どこで）・人物（誰が）・出来事（どうした）に注目する。

①「時」や「場所」の変化
→段落の冒頭に、「時」や「場所」の変化がわかる表現がある。

②「人物」や「出来事」の変化
→それまでいなかった人物の登場や、その場にいた人物の言動によって場面の変化を示す。

③過去を回想している場面の挿入。

登場人物を読み取る

・主人公と、それ以外の登場人物。
・登場人物の姓・名や、「先生」「母」などの表現に着目する。

人物像や人間関係を読み取る

・どのような人物として描かれているか。
例 正義感がある・積極的・内気
・どのような人間関係を描いているか。
例 親友・ライバル・親子

入試重要ポイントTOP3

場面を読み取る
時・場所・人物・出来事に着目し、場面を的確に捉える。

場面展開を読み取る
場面の変化や過去の回想に注意し、場面展開を捉える。

登場人物を読み取る
主人公を中心に、人物像や他の人物との関係を捉える。

［　月　日］

サクッと確認

■次の文章を読んで、あとの問いに答えなさい。

自動改札を抜けるドカに「じゃあ、明日な」と声をかけるところまでは、ちょっとさびしかった。でも、半日ぶりに一人になり、自転車を押してデッキを歩きだすと、肩の重荷が取れたような身軽さを感じる。いつものことだ。自分でもよくわからない。気の合う友だちとずっと一緒に遊んでいたいという気持ちと、一人になった直後に感じる心地よさと、どっちが本音なのだろう。

（重松《しげまつ》清《きよし》「空より高く」）

問い この文章の場面を説明した次の文の□にあてはまる言葉を、本文中から四字で抜き出して答えなさい。

友人と別れたあと、主人公が□を感じる場面。

やってみよう！入試問題

1 次の文章を読んで、あとの問いに答えなさい。

> 小学生のミオは、近所に住む純一《じゅんいち》（五歳）、翔《しょう》（三歳）の兄弟と日頃よく遊んでいた。ある日、ふたりと遊ぶ約束をしていたことを忘れたミオは、家に来たふたりを追いかえしてしまう。夕方、約束を思い出したミオは、慌てて彼らの家を訪ねた。そこで、この数日間、ふたりが彼らのおばちゃんの家に預けられており、今夜はすでにその家で寝入っていることを知る。

ミオは通りをおばちゃんの家の方に向かって歩きはじめた。

もうふたりは家に帰っている。あとを追ってもしかたがないことはわかっている。でも、足はかってに歩き出していた。

道は川にそってまっすぐにつづいている。

街灯の光が粉々のかけらになり川面《かわも》にゆれる。

生け垣の中から犬がほえかかり、ミオはあわててとびのいた。車がスピードを上げて、すぐ脇を通りぬけた。

手をつないで歩くふたりに、犬はやっぱりほえかかったはずだし、車は小さい兄弟を脇に追いやったはずだった。

ミオはだんだん早足になる。

まだ三歳の翔は遠い道をぐずったかもしれない。純一は約束を言って聞かせ、はげまして歩かせたのかもしれない。でも、はげます純一にしたってたったの五歳なのだ。

ミオはかけ出した。冷えてこごえているせいか、からだが重たく感じられた。いつからこんなになったんだろうと、ミオはふしぎに思った。純一や翔と同じに、笑って息も切らさずかけまわれたからだを、いったいどこに置いてきたんだろう。

（安東《あんどう》みきえ「針せんぼん」）

よく出る！

(1) ――線部「ミオはだんだん早足になる」とあるが、このときのミオについて説明したものとして最も適切なものを、次から選び、記号で答えなさい。

ア 幼いふたりを裏切ったことにより、自分も何らかの罰を受けることになるかもしれないと、強い恐怖を感じている。

イ 自分に会いに来た幼いふたりの様子を思い浮かべては、早くそのふたりに会わずにはいられないと気が焦《あせ》っている。

ウ 道すがら降りかかってくる危険に、ふたりの身を案じ、その危険を早く取り除いてやりたいと、落ち着かずにいる。

エ 互いに支え合う二人の姿に自分の幼さを感じつつ、一刻も早くふたりに会い感謝の言葉を述べたいと考えている。

［　　］〔福岡〕

ココ注意！

前書きの内容も含め、場面を正しく捉える。

20

文学的文章②

小説②

次の文章を読んで、あとの問いに答えなさい。

［耕作《こうさく》が罰当番の権太《ごんた》を手伝ったとき、権太は「叱《しか》られても、叱られなくても、やらなきゃあならんことはやるもんだ」と言った。］

権太の言葉を納得した途端、耕作はがんと頬《ほお》を殴られた思いがした。耕作は小さい時から、いつも人にほめられて来た。家の者にも、近所の者にも、学校の先生にもほめられて来た。

「耕作は利口もんだ」

「耕ちゃんを見れ、行儀がいいこと」

「耕作は偉くなるぞ」

いつもそう言われつづけて来た。字も絵もほめられた。雑記帳の使い方も、朗読も、ほめられた。いつの間にか、耕作の心の中には、よりほめられたい思いが渦巻くようになった。ほめられたいと思うことは、また叱られまいとすることであり、誰にも指をさされまいとすることでもあった。叱られるということは、いつもほめられている耕作には、耐えがたい恥ずかしさであった。それが今、権太に言われて、はじめて自分のどこかがまちがっていることに気がついたのだ。

（三浦綾子《みうらあやこ》「泥流地帯」）

問い　——線部「自分のどこかがまちがっていることに気がついた」と同じ心情を表す言葉を、本文中から十四字で抜き出して答えなさい。

入試得点アップ

心情の表現

・心情の表現の仕方

①直接的な表現

→心情を直接表現する言葉や、「〜と思った。」などで表す。

例　うれしい・悲しい・喜ぶ

②間接的な表現

→様子や言動で心情を表す。

例　眉をひそめる
＝不快・疑う気持ち
首をかしげる
＝不思議に思う気持ち

③情景描写

→周囲の様子で、心情を表す。

例　さわやかな風が吹いた
＝達成感など、よい気持ち
空を雲がおおっていた
＝不安など、暗い気持ち

心情を捉える流れ

・「出来事」→心情→「言動や様子」という流れに着目する。

入試重要ポイントTOP3

心情の表現
心情の表現の仕方を意識して、心情を的確に捉える。

心情を捉える流れ
「出来事→心情→言動や様子」という流れを意識する。

心情の変化
心情の変化は、きっかけとなった出来事に着目する。

［　月　日］

サクッと確認

■次の文章を読んで、あとの問いに答えなさい。

［これは、写真同好会に所属する「ぼく」が、同じ同好会に所属する「美駒《みこま》ちゃん」と話したあとに、活動場所の「イチマルサン」に戻るときの場面です。］

イチマルサンに戻るぼくの足取りは軽かった。ややもするとスキップしてしまいそうになった。美駒ちゃんから褒められたのがうれしくてしかたなかったからだ。

「わたしに近い気がする」

美駒ちゃんはそう言っていた。ぼくは彼女に近づけた。新たな扉を開いたような心地がした。

（関口《せきぐち》尚《ひさし》「サニー・シックスティーン・ルール」）

問い　——線部「ぼくの足取りは軽かった」とあるが、このときの「ぼく」の心情を表す表現を十二字で抜き出して答えなさい。

やってみよう！入試問題

解答15ページ

目標時間10分　　分

［　月　日］

1 次の文章を読んで、あとの問いに答えなさい。

「草笛や言葉にまとめられぬもの」

それまでノートに一心不乱に書きつけていた瑞穂《みずほ》がはっとしたように顔を上げた。その横の茜《あかね》は、一瞬ぽかんとしてから、徐々に表情をほころばせる。

①魔法のようだ。

（中略）

「どう？　どの句が一番気になった？」

発言を促され、真名《まな》が言った。

「私、トーコ先輩の句です。『言葉にまとめられぬもの』。草笛と言葉、その対比を思わせる感じが好きです」

東子《とうこ》はどきどきしてきた。きっと顔が赤くなっている。

東子の句を、いいと言ってくれた。創作で評価された。

だが、すぐに理香《りか》がこう発言したので、話は次に移った。

「私ね、誰の句っていうより、草笛に対して結構みんなネガティブだなあって、それが印象的だった。井野《いの》先輩の草笛は本当に聞こえているものじゃないし、私の草笛も音階が不確かで不完全燃焼な気持ちについての句だし、真名にいたってははっきり『鳴らせぬ』だよ」

夏樹《なつき》が抗議する。

「仕方ないんじゃない？　だって、みんなでためしに草笛に挑戦してみたけど、誰一人吹けなかったんだから」

この一年生トリオは強い。さっきの負けも引きずらない。東子はやっと肩の力が抜けるのを感じた。②小さく笑ってみる。

（森谷明子《もりやあきこ》「春や春」）

記述
(1) ――線①「魔法のようだ」とあるが、このときの東子の目に映った様子を、「句」、「一変」という言葉を使って、十五字以上、二十字以内で書きなさい。

記述
(2) ――線②「小さく笑ってみる」とあるが、このときの東子の心の内について述べた次の文の Ⅰ 、 Ⅱ に入る言葉を書きなさい。ただし、 Ⅰ は一語で書き、 Ⅱ は「意見」という言葉を使って、十字以上、十三字以内で書くこと。

自分の Ⅰ が和らぐのを感じるとともに、 Ⅱ をほほえましく感じている。

Ⅰ

Ⅱ

〔千葉〕

ココ注意！

Ⅰは東子の様子、Ⅱは一年生の会話の内容を捉える。

21 小説③

文学的文章③

次の文章を読んで、あとの問いに答えなさい。

「クリスマス会用にこっそり練習していたんだけど、特別に見せちゃいます」

アイドル顔をつくった健司《けんじ》が右腕をぐっと曲げて、女子からは「きゃー」という嬌声《きょうせい》が、男子からは「キモい」という失笑がおきた。

「きいてください。曲は『青春アミーゴ』」

陽介《ようすけ》が渋い声で言うと、みんなからいっせいに拍手がわきおこるなかをイントロが流れだした。いつのまにかラジカセまで用意してあり、中二の勝《まさる》が拍手に負けないようにボリュームをいっぱいにあげた。

あたしは初めてきく曲だったけど、子供たちと一緒に、真顔で歌って踊る三人にめいっぱいの拍手を送った。聡子《さとこ》も美江《みえ》も大喜びで、自己紹介を中断されたことも忘れて、あたしの部屋に引きあげてからもしばらくは興奮がおさまらなかった。

（佐川光晴《さがわみつはる》「おれたちの青空」）

問い ――線部「興奮がおさまらなかった」とありますが、それはなぜか。次の文の□にあてはまる言葉を、本文中から十九字で抜き出して答えなさい。

□の姿に、大喜びしたから。

入試得点アップ

理由を問う問題

・理由を問う問題では、「出来事→心情→言動や様子」という流れに着目する。一つ前の要素が理由の中心になる。

例 心情の理由
＝出来事が中心
言動や様子の理由
＝心情が中心

心情や様子を表す語の知識

・興奮…「楽しい・うれしい・怒り」など、気持ちが高ぶる心情を表す。

・切ない…「悲しい・かわいそう・情けない・恋しい」など、胸がしめつけられるような心情を表す。

・やるせない…思いをはらせず、やり場のない心情を表す。

入試重要ポイントTOP3

理由を捉える
理由の中心になるものが何なのかを判断して考える。

人物像や人間関係
人物像や人間関係を意識して、心情を理解する。

心情や様子を表す語
頻出の語については、意味のイメージをつかんでおく。

［　月　日］

サクッと確認

■次の文章を読んで、あとの問いに答えなさい。

［秘密基地を作って遊んでいたハァちゃんたちは、そのことが問題になり、担任の高先生と一緒に校長室にあやまりに行った。］

クラスの連中は、ハァちゃんたちが校長先生に怒られるのを、「いい気味だ」くらいに思っているだろうと想像していた。ところがそれはまったく違ったのだ。「こんな僕を皆が大事に思って待っていてくれた」。ハァちゃんの涙はなかなかとまらなかった。

（河合隼雄《かわいはやお》「泣き虫ハァちゃん」）

問い ――線部「ハァちゃんの涙はなかなかとまらなかった」とあるが、その理由がわかる一文を本文中から探し、初めの五字を抜き出して答えなさい。

解答16ページ

目標時間10分　　分

月　日

1 次の文章を読んで、あとの問いに答えなさい。

「本当は、私は今でも俳句という形態が好きではありません。その理由の一つは、あのような、句歴の浅い高校生がひねりや工夫なしに摑《つか》み取った表現が、時として圧倒的な印象を残すことがあるからです」

なんだか今、とても大切なことを言ってもらっている気がする。富士《ふじ》の言葉をこんなに真剣に聞いたことがあっただろうか。

東子《とうこ》の思いにかまわず、富士はいつものとおりに教師らしく続けている。

「『でも本当に好きだった』これが小説や戯曲ならば、この一言が読者の共感を呼ぶようにと、作者はそこまでの人物造形やプロットに全精力を注ぎ込みます。でも俳句はそれをしない。にもかかわらずあの句が共感を呼んだとすれば、それは、受け取る側に、自分の都合なんかお構いなく圧倒的に美しい夕焼けをうちのめされながら見つめた記憶や、『でも本当に好きだった』と吐露するしかなかったやるせない体験があるからです。そう、①あの句、試合には勝ちましたが、だからと言って今日の閉会式で最優秀賞に輝くとは思いません。審査員の方々も、努力や研鑽《けんさん》が窺《うかが》われる句を評価するでしょう。でも、あの句が披講*された瞬間、客席で多くの人が体を動かしたのは事実です。②ああ、そのとおりだ、といい歳をした大人が多勢共感していました。そんな場面を見たのはあの句の披講の時だけでした。『でも本当に好きだった』と叫んでいたかつての自分が揺さぶられたのですね」

*披講＝詩歌《しいか》を読み上げること。

（森谷明子《もりやあきこ》「春や春」）

よく出る！

(1) ――線部①「あの句、試合には勝ちましたが、だからと言って今日の閉会式で最優秀賞に輝くとは思いません」とあるが、それはどうしてか。それを説明した次の文の空欄 Ⅰ ・ Ⅱ に入る言葉をそれぞれ本文中から抜き出して答えなさい。ただし、Ⅰには六字、Ⅱには二十五字の言葉が入る。

多くの人に Ⅰ を残したものの、 Ⅱ によるものであるため。

Ⅰ

Ⅱ

(2) ――線部②「ああ、そのとおりだ、といい歳をした大人が多勢共感していました」とあるが、「あの句」が「いい歳をした大人」の共感を呼んだ理由を、富士はどのように述べていますか。ここより前の本文中から一文で探し、初めの五字を抜き出して答えなさい。

〔久留米大附高―改〕

ココ注意！ 「ここより前の本文中から」という設問条件を見逃さない。

22

小説 ④

文学的文章④

次の文章を読んで、あとの問いに答えなさい。

［トラック運転手だった父を亡《な》くした少年は、家の荷物を積んだトラックに乗って引っ越し先へ向かう途中、ドライブインに寄った。］

どんぶりに顔をつっこんでラーメンを啜《すす》り、むせそうになりながら餃子《ぎょうざ》を食べていると、鼻の奥が熱くなってきた。味はあいかわらずわからない。それでも、これはおいしいんだ、いままで食べたラーメンや餃子の中でいっとうおいしいんだ、と決めた。

ドライブインを出るときにも、トラック仲間が外に出て見送ってくれた。ヘッドライトや電飾を浴びて駐車場を進んでいると、左右から「しっかりがんばれや！」「困ったことがあったらなんでも相談せえよ！」「あんたの父ちゃんには世話になったんじゃけん！」と声がかかる。照れくさくなって夜空を見上げると、父がゴツい顔をくしゃくしゃにして笑っていた。

（重松《しげまつ》 清《きよし》「すねぼんさん」）

問い この文章の主題を次から選び、記号で答えなさい。

ア 亡き父や周囲の人に支えられ、不安を乗りこえる少年の姿。
イ 仲間との友情にふれ、閉ざした心を開いていく少年の姿。
ウ 父を亡くした悲しみを、一人で乗りこえていく少年の姿。
エ 環境の変化に適応しながらたくましく成長する少年の姿。

入試得点アップ

主題を読み取る

・「主題」とは、作者が作品を通じて伝えようとしていることで、次のような点に注目して読み取る。

①主人公の人物像
→主人公がどのような人物として描かれているかを捉える。

②主人公の心情の変化
→他の登場人物との会話のやり取りや、言葉には出していない主人公の内なる心情を表現した部分に注目する。

③「山場」での主人公の言動
→物語が最も盛り上がる「山場」での主人公の言動に注目する。

入試問題で頻出の主題

・入試問題では、次のような主題の小説がよく出題される。
→「仲間や友情」・「家族愛」・「勇気」・「精神的な成長」・「命」など。

入試重要ポイントTOP3

主題を読み取る① 主人公の人物像や、他の人物との会話に着目する。

主題を読み取る② 物語の山場を捉え、そこでの主人公の言動に注目する。

頻出の主題 仲間や友情・家族愛など、頻出の主題をおさえておく。

［　月　日］

サクッと確認

■次の文章を読んで、あとの問いに答えなさい。

大貴《だいき》は腕をふり、地面を蹴《け》る。上がる呼吸を我が耳がきき、蹴った地面から戻る力を己が感じる。こぶしをにぎりしめるたび、固くしまる腕の筋肉を、自分の目が確かめる。

走るのは苦しいが、自分の体に生まれるすべての感覚を自覚できるのは心地よい。自分しかいないこの世界が、こんなにも美しく輝いていれば、孤独なんかなんともない。

（まはら三桃《みと》「白をつなぐ」）

問い この文章の主題を次から選び、記号で答えなさい。

ア 孤独を愛する心情。
イ 孤独に耐える辛《つら》さ。
ウ 陸上を楽しむ心情。
エ 陸上との別れのさびしさ。

解答16ページ

10

目標時間10分 分

月 日

1 次の文章を読んで、あとの問いに答えなさい。

「そうかあ」

受け取った小さなニンジンをしみじみと見た。

「これって、人間でいえばとっこちゃんくらいかなあ」

「うーん、そうねえ、もうちょっと育ってて、ちょうどかなちゃんくらいじゃなあい？」

「うわ」

「［A］がんばって大きくなろうとしているのに間引いちゃうなんて、人間って、勝手だわよね」

「うん。じゃあこれ、自分だと思って、一生懸命食べます」

「まあ、かなちゃん」

おハルさんが目を細めた。でも笑っていたわけではなかった。とても真剣な様子だった。

「そうなのよね。他の命をたくさん、いただいてしまっているのよね。ちゃんとそういうこと考えられるかなちゃん、えらいと思うわ」

「いえ、そんなこと……」

手に持った小さいニンジンが、急に重く感じられた。


（東《ひがし》　直子《なおこ》「いとの森の家」）

(1) 本文中の［A］にあてはまる言葉として最も適切なものを次から選び、記号で答えなさい。

ア めったに　**イ** せっかく
ウ まるで　**エ** どうせ
［　　］

よく出る！

(2) ――線部「手に持った小さいニンジンが、急に重く感じられた」について、この時の「私」の心情を説明したものとして最も適切なものを次から選び、記号で答えなさい。

ア 人間の勝手な都合で間引いたニンジンを大切に食べると言ったことに感心したおハルさんの言葉から、ニンジンにも自分と同じように尊い命があるのだということに思い至っている。

イ ニンジンを色や形からかわいいと言ったり人間にたとえたりした軽薄さをおハルさんにたしなめられたことで、自分を生かしてくれている命を大切にすべきであったと反省している。

ウ まだ小さなニンジンを間引いてしまう人間の身勝手さへの反発から他の命を大切にしようと思ったが、それも人間が生きるためには仕方ないとするおハルさんの態度に落胆している。

エ おハルさんにほめてほしいためにニンジンを一生懸命に食べると約束したところ、予想に反しておハルさんが深刻な表情になってしまったためにどう反応すればよいか戸惑っている。

［　　］

〔長崎〕

随筆

次の文章を読んで、あとの問いに答えなさい。

戦時中、行き過ぎのナショナリズムの中で英語は「敵性語」とされ、野球の「セーフ」、「アウト」までが「ヨシ」、「ダメ」に言い換えられた、というのはよく知られている話だ。

戦後に生まれたさまざまな横文字社名やブランド名、ひいては現在まで続く日本人の横文字好きを見ると、その傾向は「敵性語」時代のリバウンドなのではないか、という気がちょっとする。だから、日本の横文字傾向を嘆く人の気持ちも、ちょっと判《わか》る。禁じられていたものが解禁になったとたんに、飢えていたみたいにそれに飛びついてしまう、というようなのは、やはりあまりにも変わり身が早い感じで少しカッコ悪いことであるようにも思うからだ。

しかし、日本人のそういった「新しいものに飛びついてしまう」性質、一種の「変わり身の早さ」がなければ、今の豊かな日本はあり得なかったのかも知れないな、などと考えると、そういう変わり身の早さもある意味で大事なものだよなあ、というようにも思う。

（鷺沢《さぎさわ》　萠《めぐむ》「かわいい子には旅をさせるな」）

問い　この文章で筆者が最も伝えようとしていることを述べた一文を本文中から探し、初めの五字を抜き出して答えなさい。

入試得点アップ

事実と感想を読み分ける

・随筆文とは、筆者が実際に体験した「事実」と、それをもとに筆者が抱いた「感想」を書いた文章のこと。

①事実（体験など）

→「～した。」「～だった。」という文末表現で、筆者が実際に体験したことや、見たり聞いたりしたことを具体的に述べる。

②感想（心情や考え）

→「～と思う。」「～ではないか。」「～なければならない。」という文末表現で、事実に対する筆者の心情や考えを述べる。

事実と感想の対応を捉える

・事実と感想が複数ある文章の場合、どんな事実がどんな感想に結びついているのかに注意する。

入試重要ポイントTOP3

事実を読み取る
筆者の体験や見聞を具体的に述べている部分を捉える。

感想を読み取る
事実をもとに、筆者が抱いた心情や考えを捉える。

事実と感想の対応
どんな事実がどんな感想に結びついているのかを捉える。

［　月　日］

サクッと確認

■次の文章を読んで、あとの問いに答えなさい。

［次の文章は、筆者が小学生だった頃のことを述べている部分である。］

数え切れないほどたくさんある図書室の本に、一冊一冊、名前が刻まれてゆく。誰にも消せない自分の印が、世界の片隅に残されてゆく。あの頃本を読むことは、学校や家族や、そんなちっぽけな場所から脱出し、世界の果てを旅して、自分の小さな足跡を残すことだった。

（小川《おがわ》洋子《ようこ》「はじめての文学」）

問い　小学生の筆者にとって、本を読むとはどういうことであったのか。四十五字以上五十字以内で本文中から探し、初めと終わりの二字を抜き出して答えなさい。

やってみよう！入試問題

［　月　日］

目標時間10分　　分

解答17ページ

10

1 次の文章を読んで、あとの問いに答えなさい。

無響室に入った。無響室とは音の周波数測定や機器の騒音テストなど、さまざまな音響実験を行う部屋である。部屋全体がガラス繊維でできた吸音材で囲われているため、声を発しても手を叩《たた》いてもまったく響かない。

私たちはふだん自分の周りに物体が存在する場所で暮らしている。自分の声やキーボードを打つ音、部屋を歩く足音など、発せられた音の反響を頼りにその空間における自分の位置を把握している。

ところが、音が天井や床に反射しない場所では空間の広さがつかめず、宙づりにされているように錯覚する。聴覚が研ぎ澄まされ、耳の中がじーんと鳴る音や血液の流れる音が聞こえてきて、自分がまるで自分の中に折り畳まれたような圧迫感を覚える。わーっと叫んでもだれにも助けてもらえないのではないか、もしこのままずっと無響室に置き去りにされたらそのうち頭がおかしくなってしまうのではないか。そんな恐怖に襲われる。

静かな図書室よりもざわめきの聞こえる喫茶店やファミレスのほうが読書や勉強がはかどるという人は多いが、それは自分の中から聞こえてくる音を周囲の雑音がかき消すためではないか。自分が生きていることを証明するはずの自分の音が、自分を狂わせる最大の要因になるとしたら、衝撃的である。

「大いなる沈黙へ」（二〇〇五）という映画がある。舞台はフランスのアルプス山脈に建つグランド・シャルトルーズ修道院で、構想から二十一年の年月を費やして製作された長編ドキュメンタリーだ。ドイツ出身の監督フィリップ・グレーニングが、カトリック教会の中でもっとも戒律が厳しいこの修道院に撮影を申し込んだのは一九八四年、許可が下りたのはそれから十六年後のことだった。

（最相《さいしょう》葉《は》月《づき》「れる　られる」）

記述

（1）——線部「自分が生きていることを証明するはずの自分の音が、自分を狂わせる最大の要因になる」とあるが、それはなぜか。説明しなさい。

〔関西学院高〕

ココ注意！

筆者が無響室に入るという体験をしたときに感じたことを捉える。

サクッと入試対策⑨

［　月　日］

目標時間10分　　分

解答17ページ

1 次の文章を読んで、あとの問いに答えなさい。

［ひさしは、父親と二人で出かけた帰りの列車の中で、激しい歯痛にみまわれた。ひさしの歯痛を和らげようと思った父親は、手にしていた扇子を縦に引き裂き、扇子の骨の一本を折って、楊枝《ようじ》の代わりにするように言って、ひさしに差し出した。］

ひさしは、頭から冷水を浴びせられたようだった。その扇子は、亡《な》くなった祖父譲りのもので、父親がいつも持ち歩いているのを知っていたし、扇面には、薄墨で蘭《らん》が描かれていた。その蘭を、いいと思わないかと言ってわざわざ父親に見せられたこともある。

ひさしは、

「蘭が……」

と言ったきり、①あとが続かなくなった。

父親に促《うなが》されるまま、ひさしは片手で口を蔽《おお》うようにして、細くなった扇子の骨を歯に当てた。

熱が退《ひ》くように、痛みは和らいでいった。ひさしから痛みが消えたのを見届けると、父親はハンカチーフでゆっくり顔を一《ひ》と拭きした。

それからまた、元のように目を閉じた。

ひさしは、自分の意気地なさを後悔した。

②父親が惜し気もなく扇子を裂いてくれただけに、責められ方も強かった。うれしさも、ありがたさも通り越して、何となく情《なさけ》なくなっていた。

（竹西寛子《たけにしひろこ》「蘭」）

間違えやすい

(1) ――線①「あとが続かなくなった」とありますが、ひさしはなぜ言葉を続けることができなかったのか。最も適切なものを次から選び、記号で答えなさい。

ア 蘭の花の美しさに見とれてしまったから。
イ 父親の行動に衝撃を受けてしまったから。
ウ 言葉が出ないほど歯が痛くなっていたから。
エ 歯痛に耐えられなかった自分を恥じたから。

［　　］

ココ注意! 様子や言動の理由は、直前の出来事や心情に注目する。

記述

(2) ――線②「父親が惜し気もなく扇子を裂いてくれた」とありますが、父親にとって、その扇子はどのようなものだったのか。そのことを説明した次の文の□にあてはまる言葉を、三十字以内で答えなさい。

・亡くなった祖父に譲り受けた大切なもので、□もの。

サクッと入試対策⑩

解答18ページ

目標時間10分　　分

月　日

1 次の文章を読んで、あとの問いに答えなさい。

「国破レテ山河アリ」

中国唐代の詩人杜甫《とほ》の詩である。人の邪悪な心が引き起こす戦争によって国は破れてしまったのだが、山河がある。山河があれば、人は生きていくことができるのである。

父が帰ってきたのは、その山河である。都市部はほとんど焼かれてしまったが、農地は人手不足によって荒廃はしていたにせよ、無事に残った。人が手をかければ、作物を育ててくれる大地と水と太陽とがある。そこで人は生きていくことができるのだ。

種を蒔《ま》くのは誰か。それが人なのだ。

（中略）

それでは彼が種を蒔いたから、その人が作物をつくったことになるのだろうか。その人は作物を育てる縁をつくったということだ。すべての現象は因縁によって生じる。その生じた現象が、果ということである。因とは根本原因で、縁は条件、果は表われた現象ということになる。その意味では、果としての実りを得るために、彼は種を蒔いたということだ。条件がなければ現象は生じないのだから、彼が作物をつくったということは間違いはないにせよ、それがすべてではない。

種を土に蒔き、それが発芽するためには、水分と温度がなくてはならない。また発芽した苗が育っていくためには、水分と温度のほかに、太陽の光や肥料分がなくてはならない。一粒の米を育てるためには、多様の因果が必要だ。因果の一つでも欠ければ、発芽さえもしないということである。

このように考えると、すべての現象の前で、人は確かに一部を担《にな》っているのかもしれないのだが、一部しか担っていないということである。そうならば、人はすべての点で謙虚にしていなければいけないのだ。

（立松和平《たてまつわへい》「遊行日記」）

やや難

(1) ——線部「それがすべてではない」とあるが、筆者がそのように言う理由を説明した次の文の□にあてはまる言葉を、これよりあとの本文中から三十四字で探し、初めの五字を抜き出して答えなさい。

・現象には多様の因果が必要で、□と言えるから。

間違えやすい

(2) この文章での筆者の考えをまとめた次の文の□にあてはまる言葉を、1は七字、2は二字で本文中から抜き出して答えなさい。

・[1]がなければ人は生きていくことができないという事実をもとに、人は[2]であるべきだという考えに至っている。

1

2

ココ注意!

筆者の考えがまとめられている部分に着目する。

漢字ファイナルチェック

1 次の――線部の漢字をひらがなに直しなさい。

最重要

①参加するように促す。
②目を覆いたくなるような光景。
③スランプに陥る。
④こうしたほうがよいと示唆する。
⑤先生の話を遮る。
⑥海を漂うクラゲ。
⑦コンテストの参加者を募る。
⑧係の仕事を遂行する。
⑨頻繁にお店に行く。
⑩柔和な笑顔にひかれる。
⑪虫が葉の裏に潜んでいる。
⑫父に諭されるよう諭された。
⑬鮮やかな赤色のセーター。
⑭穏やかな一日を送る。
⑮遠くから町を眺める。
⑯人に情けを施す。
⑰強い相手に挑む。

①うなが
②おお
③おちい
④しさ
⑤さえぎ
⑥ただよ
⑦つの
⑧すいこう
⑨ひんぱん
⑩にゅうわ
⑪ひそ
⑫さと
⑬あざ
⑭おだ
⑮なが
⑯ほどこ
⑰いど

重要

①流行が廃れていく。
②戦地に赴く。
③穴の開いたシャツを繕う。
④ルールが緩和される。
⑤人混みに紛れて、わからなくなる。
⑥リーダーになることを拒む。
⑦学校の歴史を顧みる。
⑧教育に携わっていきたい。
⑨中身をまったく把握していなかった。

差がつく

①社会に貢献できる人になりたい。
②顕著な変化が表れる。
③あの人の話は矛盾している。
④苦手な食べ物を克服する。
⑤長年の思いを遂げる。
⑥目の錯覚によるミス。
⑦パソコンを駆使する。
⑧いつか翻訳家になりたい。

重要

①すた
②おもむ
③つくろ
④かんわ
⑤まぎ
⑥こば
⑦かえり
⑧たずさ
⑨はあく

差がつく

①こうけん
②けんちょ
③むじゅん
④こくふく
⑤と
⑥さっかく
⑦くし
⑧ほんやく

2 次の――線部のカタカナを漢字に直しなさい。

最重要

① 持っている力を十分にハッキする。
② この本のタイショウは中学生だ。
③ これはヨウイなことではない。
④ どうしてもナットクできない。
⑤ タイショウ的な二人。
⑥ フクザツなジグソーパズル。
⑦ 成長していくカテイを見守る。
⑧ サッカーにはカンシンがない。
⑨ 君に会うキカイを作りたい。
⑩ ここは日本のリョウイキだ。
⑪ 話のテンカイが気になる。
⑫ コウフンしてよく覚えていない。
⑬ シャワーをアびてサッパリする。
⑭ ロボットをソウサする。
⑮ 最近の若者のフウチョウ。
⑯ 生活にシショウが出る。
⑰ 神が天地をソウゾウする。
⑱ 家に先生をマネく。
⑲ 続けるゼンテイで話をする。
⑳ みんなのアイデアをハンエイさせる。
㉑ 小さいお店をイトナむ。

① 発揮 ② 対象 ③ 容易 ④ 納得 ⑤ 対照 ⑥ 複雑 ⑦ 過程 ⑧ 関心 ⑨ 機会 ⑩ 領域 ⑪ 展開 ⑫ 興奮 ⑬ 浴 ⑭ 操作 ⑮ 風潮 ⑯ 支障 ⑰ 創造 ⑱ 招 ⑲ 前提 ⑳ 反映 ㉑ 営

㉒ インショウに残る話し方。
㉓ 赤ちゃんがヒタイをぶつける。
㉔ 思い出を心にキザむ。
㉕ ゲンミツに言うと正しくない。
㉖ カンタンなゲーム。
㉗ メンミツな計画を立てる。
㉘ ヒナンの声が上がる。
㉙ 毛糸でマフラーをアむ。
㉚ 母のフタンが増える。
㉛ 女の子がじゅもんをトナえる。
㉜ 今の地位をキズくのに十年かかった。
㉝ キボが大きい話。
㉞ センレンされたふるまいをする。
㉟ 川で小石をヒロう。
㊱ これまでのギョウセキをほめられた。
㊲ 父からキチョウな本をもらう。
㊳ あの人のイトがわからない。
㊴ ヘリコプターをソウジュウする。
㊵ 人がいるケハイを感じる。
㊶ 母にカバンをアズける。
㊷ キタイに胸をふくらませる。
㊸ 新しい仕組みをコウチクする。
㊹ あの先生は時間にキビしい。
㊺ 勉強のコウリツを上げる。

㉒ 印象 ㉓ 額 ㉔ 刻 ㉕ 厳密 ㉖ 簡単 ㉗ 綿密 ㉘ 非難 ㉙ 編 ㉚ 負担 ㉛ 唱 ㉜ 築 ㉝ 規模 ㉞ 洗練 ㉟ 拾 ㊱ 業績 ㊲ 貴重 ㊳ 意図 ㊴ 操縦 ㊵ 気配 ㊶ 預 ㊷ 期待 ㊸ 構築 ㊹ 厳 ㊺ 効率

重要

①セイケツなキッチン。
②この国は石油がホウフにある。
③イチジルしい変化が起こる。
④彼は三か国語をアヤツる。
⑤テニスの試合にノゾむ。
⑥名案がノウリにひらめいた。
⑦道のカクチョウ工事が始まる。
⑧ホガらかに笑った。
⑨町名のユライを調べる。
⑩手で重いドアをササえる。
⑪アンイな発言は控える。
⑫祖母の家をオトズれる。
⑬田畑をタガヤす。
⑭道路の交通をキセイする。
⑮多くのコンナンを乗り越える。
⑯大雨にソナえてドアを閉める。
⑰ソッチョクに言うとそれはおかしい。
⑱シュウシュウがつかなくなる。
⑲次世代をニナう若者。
⑳リーダーとなってみんなをミチビく。
㉑ケワしい山道を歩く。
㉒予習に時間をツイやす。
㉓実家に電車でキセイする。

---

①清潔
②豊富
③著
④操
⑤臨
⑥脳裏
⑦拡張
⑧朗
⑨由来
⑩支
⑪安易
⑫訪
⑬耕
⑭規制
⑮困難
⑯備
⑰率直
⑱収拾
⑲担
⑳導
㉑険
㉒費
㉓帰省

差がつく

①フゼイある温泉街。
②命令クチョウになってしまう。
③彼にすべてをユダねる。
④テイサイが悪くならないようにする。
⑤願い事がジョウジュした。
⑥無理をシいるのはよくない。
⑦オゴソかに式は行われた。
⑧旅のシタクに時間がかかる。
⑨神社のケイダイを散歩する。
⑩シャソウから見える光景。
⑪両親をソンケイする。
⑫レイゾウコにあるアイスクリーム。
⑬シュクガ会に参加する。
⑭彼のセイジツなところが好きだ。
⑮カイテキな暮らしを求める。
⑯クラス全員でトウロンをする。
⑰オオモりのカレーライス。
⑱毎日バスでツウキンする。
⑲あの子は誰にでもヤサしい。
⑳お気に入りのシャツがチヂむ。
㉑シキュウ知らせてください。
㉒テーブルをナラべる。
㉓その大会にはオオゼイが集まった。

---

①風情
②口調
③委
④体裁
⑤成就
⑥強
⑦厳
⑧支度
⑨境内
⑩車窓
⑪尊敬
⑫冷蔵庫
⑬祝賀
⑭誠実
⑮快適
⑯討論
⑰大盛
⑱通勤
⑲優
⑳縮
㉑至急
㉒並
㉓大勢

高校入試模擬テスト ①

解答18～20ページ

40分

70点で合格!　　点

月　日

1 次の文章を読んで、あとの問いに答えなさい。

［圭太《けいた》は、「ママ」の強引な勧めで、「パパ」と二人きりで「父と息子のふれあいサマーキャンプ」に参加することになった。キャンプ初日。テントの組み立てや夕食の準備などもうまくいかず、売店で買った食パンを食べながら初めての二人きりの夜を迎える。］

「圭太、ほんとに、キャンプ楽しいか?」
「うん……楽しいよ」
「じゃあ、もっと楽しそうな顔しろよ」
「笑ったじゃん」
「でもなあ、ちょっとおまえ、そういう笑い方やめたほうがいいぞ。なーんかパパ、バカにされたような気がしちゃうんだよ。友だちに言われたりしないか? おまえに笑われたら傷つくって」

ぼくは黙って首を横に振った。嘘じゃないけど、ちょっとだけ嘘かもしれない。友だちは「傷つく」とは言わないけど、ときどき「むかつく」と言う。

でも、ぼくはパパをバカにして笑ったつもりはない。今日だって、いろんなことがあったけど、楽しかった。

一学期の通知表のことを思いだした。生活の記録に〈もっとがんばりましょう〉が二つあった。〈クラスのみんなと協力しあう〉と、〈明るく元気に学校生活をすごす〉が、どっちもだめだった。

個人面談につづいてショックを受けたママに、ぼくは「こんなの松原先生の主観なんだもん、関係ないよ」と、また先生の嫌いそうな言葉をつかって言った。「中学入試は内申点なんて関係ないんだし、世の中にはいろんなひとがいるんだもん、たまたま松原先生とは気が合わないだけだよ」とも言った。励ましてあげたつもりだったのに、ママはぽろぽろと涙を流してテーブルに突っ伏してしまった。パパはそのことを知らないはずだ。晩ごはんまでに立ち直ったママが「これ、まいっちゃった」と通知表を見せると、「圭太は誤解されやすいタイプなんだよなあ」と笑っていた。

そうだよ――と思った。パパだって、いま、ぼくのことを誤解してるんだ。

「ねえ、パパ」
「うん?」
「ぼくってさあ、誤解されやすいタイプなんだよ、きっと」

終業式の日にパパが言った言葉をそのまま返したのに、パパは困ったような顔で笑うだけで、①「そうだな」とは言ってくれなかった。急に気詰まりになって、腕を虫に刺されたふりをして「スプレーしてくる」とテントに戻った。

パパのリュックをかたちだけ探っていたら、マジックテープで留めた内ポケットの中に、書類が入っているのを見つけた。グラフや表のぎっしり並んだ、よくわからないけれど仕事の書類のようだ。こんなところで仕事なんかできるわけないのに。アウトドアをなめてるんだよなあ、パパって。

笑った。でも、この笑い方がだめなのかな、と気づくと、②笑顔はあっというまにしぼんでしまった。

テントから出ると、パパは夜空を見上げて「もう寝るか」と言った。あくびをする背中が、ちょっと寂しそうに見えた。

（重松《しげまつ》 清《きよし》「サマーキャンプへようこそ」※設問の都合上、一部改変してある。）

(1) ――線部①「『そうだな』とは言ってくれなかった」とあるが、「パパ」が「そうだな」とは言ってくれなかった理由として最も適切なものを次から選び、記号で答えなさい。（5点）

ア 「パパ」も、圭太に対する周囲の見方が妥当なものであると感じ始めたため。

イ 「パパ」は圭太をたしなめたにもかかわらず、圭太が反省せず困ったため。

ウ 圭太が、「世の中にはいろんなひとがいるんだもん」などと屁理屈《へりくつ》を言うため。

エ 「パパ」は圭太の真意を理解したが、笑い方に関しては直してほしいと考えたため。

(2) ――線部②「笑顔はあっというまにしぼんでしまった」とあるが、その理由として最も適切なものを次から選び、記号で答えなさい。（5点）

ア 自然に笑ったが、この笑い方が自分の意に反し誤解を与えているのでは、とふと思ったため。

イ キャンプにまで持って来た仕事の書類を見て、「パパ」に対して不愉快に感じたため。

ウ 逃げるように「パパ」の前から去り、誤解を解こうにも解けない自分に情けなさを感じたため。

エ 誤解されない笑い方をしようと笑ってみたがうまくできず、思い詰めてしまったため。

(3) 本文の主題をまとめた次の文章の［　］にあてはまる表現を、十五字で本文中から抜き出して答えなさい。（8点）

> 「パパ」は、圭太のことを信頼しつつも、友だちとの関係について少し心配になっている。
> 一方圭太は、「［　］」「ちょっと寂しそうに見えた」という表現から、何かを伝えようにも答えが見つからず、やむなくやりとりを諦《あきら》めた「パパ」の様子を自分なりにとらえていることが分かる。

(1) ［　］ (2) ［　］ (3) ［　　　　　　　　　　　　　　　］

〔沖縄〕

2 次の文章を読んで、あとの問いに答えなさい。

［次の文章は、給食委員会の委員長が、委員会活動で調べて分かったことを、全校集会で発表するためにまとめている原稿である。］

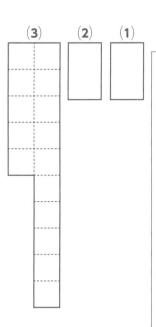

先日、学校の近くにあるコンビニエンスストアの前を歩いていたときのことです。店頭には、「食品ロスの削減を推進しています」という①表示を掲げていました。現在、食品ロスの削減に向けて、企業や商店などの事業所では、様々な取り組みが始まっているようです。食品ロスという言葉は、どのような意味で使われているのでしょうか。

ア その食品ロスの現状を理解するために、日本の食品ロス量と国連の食料援助量を調べて、比較してみました。
イ それは「本来食べることができるのに捨てられる食品」という意味で使われています。
ウ 次に、国連の食料援助量は、年間約三九〇万トンだと分かりました。
エ まず、日本の食品ロス量は、年間約六一二万トンでした。

日本の食品ロス量は、国連の食料援助量の約一・六倍に相当します。日本では、毎日、国民一人当たり茶わん一杯分の食品を捨てていることになるそうです。食料不足で苦しむ国の人々に対して、②恥ずかしくてひけめを感じました。

日本の食品ロス量の内訳を示した、この図を見てください。（※）

そのために、私たち中学生ができる具体的な方法を、学校の栄養士の方から三つ③聞いたので、伝えます。ⓐ買い物の際には、冷蔵庫の在庫を確認して食品を買いすぎないこと。調理の際には、作りすぎないこと。また、野菜や果物の皮を厚くむきすぎないことです。

以上で発表を終わります。ありがとうございました。

（1） ――線部①「表示を掲げていました」を、受け身の表現に直して書きなさい。（8点）

（2） 本文中の[　]の中にあるア〜エの文を、文脈が通るように適切な順序に並び替え、記号で答えなさい。（7点）

（3） ――線部②「恥ずかしくてひけめを感じました」とあるが、この部分とほぼ同じ意味になる慣用句を使った表現として最も適切なものを次から選び、記号で答えなさい。（5点）
ア 歯が立ちませんでした　イ 頭をかかえました
ウ 耳に逆らいました　エ 肩身が狭くなりました

（4） ――線部③「聞いた」を、「栄養士」に対する敬意を表す表現に直して書きなさい。（7点）

（5） あなたは、給食委員会の委員長から、本文中の（※）の部分で、次の図を聞き手に示し、本文中のⓐで示した内容につながる一文を入れたいと相談を受けた。（※）の部分に付け加えるのに適切な一文を、図から分かることを含めて書きなさい。（16点）

図

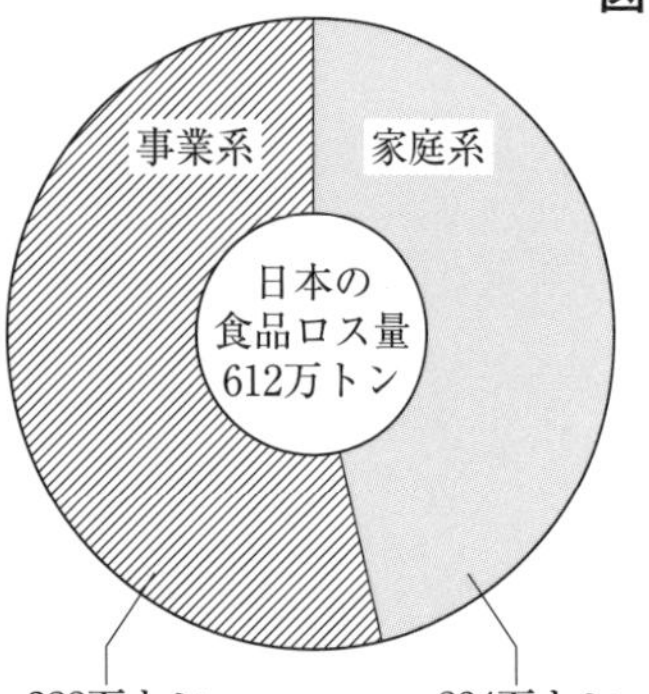

注1 農林水産省資料より作成
注2 数値は平成二十九年度の推計値

(1)　(2) ↓ ↓ ↓　(3)　(4)　(5)

〔静岡〕

3

次の文章は、漢文を書き下し文に書き改めたものです。これを読んで、あとの問いに答えなさい。

夫《そ》れ善く游《およ》ぐ者は溺れ、善く騎《の》る者は堕《お》つ。各《おのおの》其《そ》の好む所を以《もつ》て、反《かへ》つて自ら禍《わざはひ》を為《な》す。是《こ》の故に□未《いま》だ嘗《かつ》て中《そこな》はれずんばあらず、（必ず傷つくことになり）利を争ふ者は未だ嘗て窮せずんばあらざるなり。（必ず行き詰まることになる）

（「淮南子」）

(1) 本文中の□に入る「好ムレ事ヲ者ハ」の書き下し文を書きなさい。（10点）

(2) ——線部「利を争ふ者」の意味として最も適切なものを次から選び、記号で答えなさい。（5点）

ア 利害関係を無視する者　イ 利益を勝ち取ろうとする者

ウ 利用方法に口をはさむ者　エ 不利な状況にも屈しない者

(3) 本文から読み取れることとして最も適切なものを次から選び、記号で答えなさい。（8点）

ア 急いで何かをしようとすると、かえって時間がかかってしまうものだということ。

イ 他人に自慢したいと思う話題は、かえって他人から敬遠されるものだということ。

ウ 自分が無理をすることで、かえって周りに迷惑をかけてしまうものだということ。

エ 自分が得意だと考えている事柄のほうが、かえって良くない結果を生むものだということ。

(1)　(2)　(3)

〔群馬〕

4

次の——線部のカタカナは漢字に、漢字はひらがなに直しなさい。（4点×4）

(1) 公園をサンサクする。　(2) 田畑をタガヤす。

(3) 新しい事業を企てる。　(4) 頻繁に訪問する。

(1)　(2)　(3)　(4)

〔茨城〕

高校入試模擬テスト ②

解答20〜22ページ

40分

70点で合格！　点

月　日

1　次の文章を読んで、あとの問いに答えなさい。

多数の人が、集団を作って助け合って生きている場合、いつの間にか、長い時間の中で、こうしたお互いを理解し合い行動を予測することのできる、大きなルールのかたまりのようなものができあがります。それは、たとえば日本語を作ったのは誰であり、いつ頃でき上がったのか決してわからないのと同じように、いつの間にか、次第にまとまりをもったものとして集団のメンバーによって受け入れられ維持され、さらに若い世代に伝達されるのですが、決して、いつ、誰が作ったのかわかりません。このルールのかたまりのようなものを、文化人類学という学問では「文化」と呼んでいます。

私たちの生活は、実にさまざまなルールからできあがっています。

（中略）

食べることひとつを取ってみても、なにを、どのように料理し、どのように器に盛りつけ、どんなふうにお箸《はし》を使って食べるのか、また、一回にどのくらいの分量を食べるのが普通なのか、やはり一定のルールがあります。向こうから知っている人がやって来るのが見えた時、どの距離で、どんな挨拶をすればいいのか、微笑《ほほえ》むのか、手を振るのか、頭を下げるのか、あまり考えることもしないで双方が同じ行動をとります。

こうしたことを取り上げると無数にあります。そして、それらのことはほとんど意識されない当たり前のことなのです。でも、私たちの生活が、たくさんのそうした生活上の細々《こまごま》したルールから成り立っているということについて、ほんの一時期でも自宅へ外国からのお客さんを迎えて滞在してもらうとすぐに気づきます。外国人のお客さんは、一つひとつについて、どうすればよいのか、どういう意味か、日本語でなんというのか聞きます。聞かれてみて初めて、自分たちにとって当たり前のことが、日本に住んでいない人には決して当たり前でないことに気づきます。□、「文化」は、その文化を学びとった人以外の人びとにとっては少しも当たり前ではないのです。

ところが、そのルールに従って生きている人にとっては「文化」はいちいち意識されないことがとても重要です。ルールの一つひとつの意味が検討され、議論の対象にされ、多数決で決めなければならないとしたら、とってもたくさんの時間と労力が必要となり、生活をスムースに送ることなどできなくなります。

一方、「文化」の、当たり前すぎて一つひとつ検討したり疑問に思ったりする必要などなく、私たちの生活を成り立たしめているルールとして働いているということが、①困った問題を起こすことがあります。それは文化を異にする人びとが、日本の文化のある部分にどうしても納得できなくて説明を求めてきた時、あるいは、その人たちの文化の中のある部分と、日本人の文化のある部分とが激しく対立した時、相手を説得したり、納得させるだけの説明ができないということです。当たり前であることに対して、私たちはそれが存在する理由など考えません。理論的に筋道だって、相手に説明する習慣もありません。もっと悪いことは、私たちにとって当たり前であり、それが一番良いことだと考えていることがらを、別の文化の人びとが批判することに対して、腹を立ててしまうことです。そして、相手が批判する依《よ》りどころとしている相手の文化を、逆に批判してしまうことです。そうなると、反感は増幅されて、憎しみまで生まれてしまいます。文化の一部を互いに批判し合っているうちに、その文化を担《にな》っている人間までも、批判し、否定し、憎んでしまうことになってしまいます。

□そういう状態にならないためには、どうすればいいのでしょうか。文化はルールのかたまりのようなものですが、それは少しずつ変化していきます。また、多くの人が一つのルールを「良いもの」として支持していても、必ずそれを否定し別のことを提唱している人びとが同じ日本の中にもいます。そのような変化や多様性に、注意と関心と、さらには尊敬を払うことが必要です。自分の立場と、他の立場にいる人びとの主張とを常に見比べることによって、やがて自分がなぜこちらのルールが良いと考えているのか、なぜ選択しているのかが見えてくるし、わかってきます。

そうなれば、互いに対立した時でも、なぜ対立しているのかを理解できるし、たとえ同調も同感もできなくても、②相手を頭から否定したり憎んだりしないでしょう。

（波平恵美子《なみひらえみこ》「生きる力をさがす旅　子ども世界の文化人類学」）

(1) □に入る言葉として最も適切なものを次から選び、記号で答えなさい。（5点）

ア では　イ しかも

ウ つまり　エ しかし

(2) ――線部①「困った問題を起こすことがあります」とあるが、どのような点が「困った問題」であると筆者は述べているか。最も適切なものを次から選び、記号で答えなさい。（5点）

ア 文化を異にする人々が、互いに相手を説得しようとしても、相手を納得させるだけの文化の説明ができず、相手の文化の一部を批判し合う状態になってしまう点。

イ 文化を異にする人々が、互いに対立を避けるために、共通したルールを作ろうとする結果、自分たちの文化を否定してしまう点。

ウ 文化を異にする人々が、互いに論理的に筋道立った説明をすることをあきらめ、互いの文化の違いに疑問を抱かなくなってしまう点。

エ 文化を異にする人々が、互いの文化を理解するために時間をかけて話し合った結果、生活が成り立たないようなルールができてしまう点。

(3) ――線部②「相手を頭から否定したり憎んだりしないでしょう」とあるが、相手を頭から否定したり憎んだりしないためには、どのようにすることが必要だと筆者は考えているか。五十字以上五十五字以内でまとめて書きなさい。ただし、「文化の」という書き出しで、「…ことが必要だと考えている。」に続くように書くこと。（20点）

(1) □　(2) □

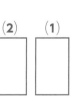

文化の

ことが必要だと考えている。

〔岐阜〕

2 次の文章を読んで、あとの問いに答えなさい。

この頃*関先民《せきせんみん》の宅を問ひし時、いたく古びたる巻軸の、紙も所々破《や》れたる画《ゑ》を見せたり。白き鷹《たか》の図なり。名もなければ「誰《た》がかきし。」と問ひしに、「こは先《せん》に由《よし》ある人の得させていと正しきものなるが、*大猷院《たいいうゐん》様の*遊ばされしなり。」と①言ふ。この君の御画*かくまでめでたく遊ばされんとは、思ひかけねば、めづらかにてしばしまもりゐたるに、先民また言ふ、「この君は鷹の御画には*わけて巧みにいらせられしと聞きしなり。されども後には*たえて画を遊ばされず。その子細は、ある時御近臣を召《め》して、世の人鷹の画と言へばきそうきそうと言ふなるが、きそうとはいづくいかなる人ぞと②問ひ給ひしに、『これは*宋《そう》の世の徽宗《きそう》皇帝と申す天子に*おはします。』と御答へ申せしかば、『予は今日よりして鷹の画かくことをやめぬべし、世の人きそうきそうと呼び捨てぬればいやしき人とこそ思ひつれ、予がかきつる画も後の世には*かかるたぐひにやなりなん。』とのたまひて、これより後はたえて御画を遊ばされざりし。」とぞ。いと③たふとき御こころざしなりけり。

（「みみと川」）

*関先民＝人名。
*大猷院＝江戸幕府第三代将軍である徳川家光《とくがわいえみつ》のこと。
*遊ばされしなり＝おかきになったのである。
*かくまでめでたく＝これほどまですばらしく。
*わけて＝とりわけ。
*たえて＝まったく。
*宋＝中国の王朝名。
*おはします＝いらっしゃる。
*かかる＝このような。

(1) ――線部①「言ふ」とあるが、このとき言ったのは誰か。最も適切なものを次から選び、記号で答えなさい。（5点）

ア 関先民　イ 大猷院
ウ 近臣　エ 筆者

(2) ――線部②「問ひ給ひしに」とあるが、このとき大猷院が言った言葉を本文中から抜き出し、最初と最後のそれぞれ三字を書きなさい。（8点）

(3) ――線部③「たふとき」を現代仮名遣いに直し、すべてひらがなで書きなさい。（5点）

(4) 次の会話は、この文章を読んだ健太《けんた》さんと美咲《みさき》さんが、先生と一緒に、大猷院の考えについて話し合った内容の一部である。会話の中の a ・ b ・ c に入る言葉を、 a は六字で、 c は三字で、それぞれ本文中から抜き出して答え、 b は、七字以上十字以内の現代語で書きなさい。（7点×3）

健太さん	「大猷院は、得意とする鷹の絵をどうしてかかなくなったのでしょうか。」
美咲さん	「筆者が思わず見入ってしまうほどの鷹の絵をかくことができていたのにね。きっかけは、［a］という世間の人たちの言葉ですね。」
先生	「そうですね。［a］というふうに、徽宗皇帝の名前が、世間の人たちから［b］ことに気づいて、大猷院は、鷹の絵をかくことをやめる決意をしていましたね。」
健太さん	「大猷院は、このまま鷹の絵をかき続けていくと、いずれは自分も［c］の人たちから同じような扱いを受けてしまうと考えたのでしょうね。」
美咲さん	「高貴で、鷹の絵が得意だった徽宗皇帝に関する話題を、大猷院は自分自身に置き換えて捉えたのでしょうね。」

〔愛媛〕

(1)
(2) 〜
(3)
(4) a b c

3 「遠すぎて見えない。」の――線部「ない」と同じ用法のものを次から選び、記号で答えなさい。（8点）

ア 映画の終わり方が切ない。
イ 今日は、あまり寒くない。
ウ どんなことがあっても笑わない。
エ 高い建物がない。

〔滋賀〕

4 「反論」と熟語の構成が同じものを次から選び、記号で答えなさい。（7点）

ア 入口　イ 登校
ウ 建築　エ 着脱

〔茨城〕

5 次の――線部の漢字はひらがなに、カタカナは漢字に直しなさい。（4点×4）

(1) あの山を隔てた向こう側に海がある。
(2) 作家が辛苦の末に大作を完成させた。
(3) 吹奏楽部の演奏会にショウタイされた。
(4) 調理室をいつもセイケツに保つ。

〔山口〕

(1)　(2)
(3)　(4)

月　日

高校入試模擬テスト ③

解答22～24ページ

50分

70点で合格！　　点

1 次の文章を読んで、あとの問いに答えなさい。

文字の起源は絵画であると一般に信じられている。そしてその理解はおおむね正しい。山があれば、それを表す文字として人々は山の絵を描き、水が流れるさまを描いたものを、川を表す文字とした。文字の萌芽《ほうが》期の段階では、世界の文字は非常によく似た形のものだった。しかし①絵画はそのままでは文字になりえない。絵画として描かれる事物は、原則的に世界中でただそれ一つしか存在しない。だからこそ肖像画というジャンルが成立するのであり、ごく普通の絵画でも、たとえば渓流を泳ぐ魚の絵は、水槽に飼われている金魚や、マーケットに売られている鯛《たい》を描いたものではないし、カゴに盛られたリンゴは画家の目の前（あるいは脳裏）にあるリンゴであって、果物屋の店頭に並んでいるそれではない。

それに対して文字では、指し示す実体に対する普遍性が要求される。「魚」という漢字は、正月の膳を飾った鯛というような特定の魚ではなく、世界中のあらゆる魚類を指し示すことができなければならない。つまり文字とは絵画として描かれる*フォルムに普遍性をあたえたものと定義できるだろう。

実際の例をあげる。ある人がこれから山登りに出かけるとする。その人が登ろうとする山は、富士山のように左右均等になだらかに広がった山かもしれないし、*槍ヶ岳《やりがたけ》のように頂上が鋭く尖《とが》っている山かもしれない。標高三千メートルを超える高い山かもしれないし、たかだか五百メートルくらいの、山よりむしろ丘と呼ぶべきものかもしれない。だからその人が登ろうとする山を絵に描くなら、富士山と槍ヶ岳とでは、あるいは高山と丘程度の低い山とでは描き方がちがって当然である。

しかしそれが山である限りは、地表から隆起した土塊であることは確実で、そのことは山をかたどったフォルムで表現することができる。だから「山」というフォルムを見れば、だれでも山という事物を思い浮かべることが可能となる。そしてこの場合、「山」が示しているのは富士山などの特定の山ではなく、どの山でもかまわない。ここに文字が成立する場がある。

X 目に見える実体のある事物を表す文字を作ろうとして、事物のもっとも端的な特徴を抽出し、具体的かつ「絵画的」に描いたものを象形文字という。ただしこれはあくまで「絵画的」に描いたものであって、絵画そのものではない。なぜならばそこに呈示されるフォルムは、指し示す実体に対しての普遍性をもつものでなければならないからである。そして普遍性をあたえられるがゆえに、その描写は必ずしも写実的である必要はない。「山」という漢字で表される山の峰が、必ずしも三つあるとは限らない。

このように②具体的な事物の特徴をうまくつかんだ文字を特に多く含んでいるのが、漢字である。

（阿辻哲次《あつじてつじ》「日本人のための漢字入門」※一部省略がある。）

＊フォルム＝形。形状。
＊槍ヶ岳＝長野県と岐阜県の境界にある山。

(1) ――線部①「絵画はそのままでは文字になりえない」とあるが、それは「絵画」がどのようなものであるからだと、筆者は述べているか。次の文がそれを説明したものとなるよう、□にあてはまる言葉を、二十五字以内で書きなさい。（12点）

絵画は□ものであるから。

(2) X段落が本文中で果たしている役割の説明として最も適切なものを次から選び、記号で答えなさい。（5点）

ア これまで述べてきた「文字」について内容を整理する事柄を示し、「絵画」との差異を改めて明確にしている。

イ これまで述べてきた「文字」について異なる視点からの説明を補足し、「絵画」との共通点を強調している。

ウ これまで述べてきた「文字」と「絵画」の両方の性質をあわせもつ記号を示し、これまでの論を否定している。

エ これまで述べてきた「文字」と「絵画」について新たな具体例を挙げて対比し、問題提起を繰り返している。

(3) ――線部②「具体的な事物の特徴をうまくつかんだ文字」について、本文の内容を踏まえた「象形文字」の例として適切なものを次から選び、記号で答えなさい。（5点）

ア 「中」という字は、あるものを一線で貫く様子を記号化して示すことで抽象的な「なか」という意味を表す。

イ 「湖」という字は、「水」を表す「氵」と「コ」という音を表す「胡」から成り「みずうみ」という意味を表す。

ウ 「雨」という字は、雲から水滴が降ってきている様子を模式的に描いて示すことで「あめ」という意味を表す。

エ 「計」という字は、「いう」を表す「言」と数の「十」を組み合わせることで「かぞえる」という意味を表す。

〔山口〕

(1)

(2)

(3)

2 次の文章を読んで、あとの問いに答えなさい。

［これは、小学校三年生の心平《しんぺい》が、以前、捕まえようとしたが逃げられた大きな雨鱒《あめます》を捕るために、学校が終わった後、一人で川へ行ったときの話です。］

川には誰もいなかった。心平が一番乗りだった。空はどんよりと曇っていた。重い雲が低くたれこめ、ゆっくりと東に流れていた。遠くの山並みは厚い雲に隠れてみえなかった。風はなく、川の風景は暗く沈んでいた。川の中も暗かった。よく眼《め》をこらして、しばらく眼がなれてくるまで水中をみていないと、よくみえなかった。それでも、眼がなれてきても、遠くまではみえにくかった。

心平はいつにも増して、入念に*勢い止めの中を探った。丸太の陰と大きな石のまわりは特に慎重《しんちょう》に探った。そのたびに、心平は緊張し、期待に胸をときめかせた。しかし、ウグイやヤマメはいたが、雨鱒はいなかった。そうやって、丸太を組んだ升目《ますめ》のひとつひとつ

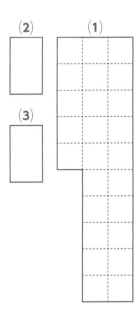

を水門の方から対岸の森の方へと移動した。ウグイやヤマメは放っておいた。いまはそんなものはほしくなかった。ウグイやヤマメを突いて音を立てるのがいやだった。音を立てて、雨鱒を刺激するのがいやだった。ウグイやヤマメは、その気になればいつだって捕ることができるのだ。

ふいに、大きな魚影が心平の眼を横切った。心平はすぐに雨鱒だとわかった。まだ勢い止めから離れずにいたのだ。

①「いた！」心平は水面から顔をあげていった。いつもの儀式《ぎしき》だった。

心平はいそいで水中をのぞき込むと、みうしなってなるものかと眼を見開いて雨鱒のうしろ姿を追った。雨鱒は背中の白い斑点をゆらめかせて、大きな丸石の向こう側に消えると、すぐに一回りしてまた姿をみせた。雨鱒は、大きな石と石の間から身を乗り出すようにして静止すると、じっと心平をみた。ゆったりと呼吸していた。背ビレと胸ビレもゆったりと動かしていた。一点に静止するための動作だった。

*ヤスを突くには遠すぎたので、心平はそっと近づくことにした。

心平は身をかがめて近づいた。心平が近づいても、雨鱒はじっと心平をみているだけで、逃げるようなそぶりはちっともみせなかった。距離が縮まると、雨鱒の背中の斑点がはっきりとみてとれた。実にきれいだった。心平はもう一歩前進した。川床の砂が少し舞いあがった。雨鱒はまだじっとして動かなかった。大きな眼が心平をみていた。心平はさらに雨鱒に近づいた。今度はヤスがとどく距離だった。しかし、もう少し近づけば万全だったので、心平はどうしようかと迷ったが、意を決して近づくことにした。心平はそっと注意して近づいた。まだ雨鱒は逃げなかった。もう、雨鱒は手のとどきそうな距離になっていた。心平は緊張した。ゆっくりと、慎重に前進した。心平は、心臓が大きく鼓動《こどう》しているのがわかった。初めて魚を突いた時もこんな感じだったが、いま心平はそのことは忘れていた。眼の前の雨鱒のことしか頭になかった。

心平はヤスを身体の脇《わき》に引き寄せると、緊張して持つ手にギュッと力を入れた。左手でしっかりと丸太をつかんで、バランスがくずれないように身体を支えた。丸太はぬるぬるしてすべったので、心平は身体を支えるだけにした。それだけでも心強かった。

雨鱒を突く体勢はすっかり整った。あとは、*秀二郎爺《しゅうじろうじ》っちゃに教えてもらった手順を素早くやってのければよかった。心平は、もうヤスの重さは感じていなかった。口が渇《かわ》いて、ドキドキする心臓の、大きくて早い鼓動だけが感じられた。

心平は、雨鱒に悟られないように、注意して、そっと、ヤスの穂先を雨鱒の頭上に持っていった。それでも、雨鱒は動かなかった。心平は、もうひと呼吸、そっとヤスの穂先を近づけた。

雨鱒の頭上で、切っ先の狙いがピタリと定まった。あとはいっきに突けばよかった。

すると、心平は急に手が震えた。刺激が強すぎたのだ。ヤスの穂先がブルブルと震えてしまった。その瞬間、雨鱒はあっという間に反転して、石の向こう側に消えてしまった。

「はい！　逃げられだじゃ！」心平はがっかりした。水中をのぞいたまま声に出していった。

緊張がとけていった。急にヤスが手に重くなった。その時、心平は初めて背中に水滴が落ちたのを感じた。いつの間にか雨が降ってきたのだった。雨は、まだポツリポツリと散発的だった。気温がぐっと下がり始めたのがわかった。

心平は立ちあがると、笑ってため息をついた。

「はあ、ドキドキしたあ」と心平はいった。

逃げられたのにはがっかりしたけど、もう少しのところまで追い詰《つ》めたことがうれしかった。次の機会にはきっと仕留めることができる。②希望と自信が、少年の胸にふくらんでいった。

（川上健一《かわかみけんいち》「雨鱒の川」）

＊勢い止め＝川の中に丸太を組んで、川の水の勢いを弱めている場所。
＊ヤス＝水中の魚を刺して捕らえる道具。
＊秀二郎爺っちゃ＝魚捕りの名人。

(1) ――線部①「『いた！』心平は水面から顔をあげていった」とあるが、心平が雨鱒を見つけるまでの様子を次のようにまとめるとき、□にあてはまる言葉を、本文中から十七字で抜き出して答えなさい。（7点）

> 遠くまではみえにくい暗い川の中で、よく眼をこらし、□を探りながら、対岸の森の方へ移動し、ウグイやヤマメには目もくれず、雨鱒を探していた。

(2) ――線部②「希望と自信が、少年の胸にふくらんでいった」とあるが、これは、心平が、どのような雨鱒捕りの経験をしたことにより、どのように思えたということか。「雨鱒の頭上で、」に続くように、七十字程度で書きなさい。（20点）

(3) 本文における表現上の工夫の一つをまとめた次の文の□にあてはまる言葉を、本文中から五字で抜き出して答えなさい。（8点）

> 心平の緊張が最も高まっているときと解けたときの落差を、□の感じ方の変化によって表現している。

(1)

(2) 雨鱒の頭上で、

(3)

〔北海道〕

3 次の俳句について、あとの問いに答えなさい。

> 万緑の中や吾子《あこ》の歯生え初《そ》むる　中村草田男《なかむらくさたお》

(1) 切れ字を抜き出して答えなさい。（5点）

(2) この俳句の季語を抜き出し、季節を答えなさい。（5点×2）

(3) この俳句に込められた心情として適切なものを次の中から二つ選び、記号で答えなさい。（5点×2）

ア 生まれ育った故郷への思い　イ 我が子の成長を喜ぶ親心
ウ 困難を乗り越えていく勇気　エ 青春時代への懐《なつ》かしさ
オ 移ろいゆく季節への哀愁　カ 自然の生命力への感動

(1)

(2) 季語　　季節

(3) ・

〔滋賀〕

4 次の文章を読んで、あとの問いに答えなさい。

*貝原益軒翁《かひばらえきけんをう》、牡丹《ぼたん》を好みてあまた植ゑられける中、ことに心を尽くされける花有り。ややけしきばめる頃、翁宿《おきな》におはさぬ程、*やつこ戯《たはぶ》れして彼《か》の花をふみ折りけり。こはと驚けど①せんすべなし。とかくする程翁帰り、やがて園中に至り、*奴《やつこ》はしとどに成りて生くる心地なし。翁いとさりげなく、二日三日ふれど何の気色もなし。人々猶《なほ》あやしむ。ある人此《こ》の事を聞きて翁に②むかひ、しかじかの事有りと聞く。さこそにくしと思《おぼ》すらめと云《い》ひければ、翁打ちゑみて、をのれは楽しびに花を植ゑ侍《はべ》り。さてそれがためにいかるべきかは、といへりけりとぞ。

*貝原益軒＝江戸前期の儒学者。　*やつこ＝家業や家事に従事する奉公人。
*しとどに成りて＝「ひどく汗をかいて」の意味。

(1) ――線部①「せんすべなし」の本文中の意味として最も適切なものを次から選び、記号で答えなさい。（5点）

ア とんでもない　イ 考えるまでもない
ウ あとかたもない　エ どうしようもない

(2) ――線部②「むかひ」を現代仮名遣いに直し、すべてひらがなで書きなさい。（5点）

(3) 本文中で述べられている事柄と内容の合うものを次から選び、記号で答えなさい。（8点）

ア ある人が言ったことに対して翁は、「楽をすることはいくらでもできるが、それは結果的に自分のためにならない」と言った。

イ 牡丹の花が枯れていたことについて翁は、「新たに花を植えることはたやすいことだが、元通りになるわけではない」と言った。

ウ 牡丹の花が折られていたことに対して翁は、「楽しむために花を植えるのだから、それのために腹を立てることはない」と言った。

エ 不注意で牡丹の花を折ってしまった翁は、「花が育つのをいつも楽しみにしていたが、こうなるぐらいならもう育てない」と言った。

(1)

(2)

(3)

〔大阪〕

CHECK 1 ことわざ(1)

/14

①石の上にも□年
②一事が□事
③人の噂《うわさ》も□日
④三つ子の魂□まで
⑤□階から目薬
⑥無くて□癖
⑦一寸の虫にも□分の魂
⑧仏の顔も□度
⑨□転び八起き
⑩早起きは□文の徳
⑪二度あることは□度ある
⑫□人寄れば文殊の知恵
⑬すずめ□まで踊り忘れず
⑭□兎《と》を追う者は一兎をも得ず

---

①三 ②万 ③七十五 ④百 ⑤二 ⑥七 ⑦五 ⑧三 ⑨七 ⑩三 ⑪三 ⑫三 ⑬百 ⑭二

CHECK 3 慣用句(1)

/13

①□が広い（知り合いが多い）
②□が高い（得意になる）
③□を長くする（待ち望む）
④□が立つ（能力が高い）
⑤□をつぶす（非常に驚く）
⑥□が痛い（欠点を言われ、聞くのがつらい）
⑦□を巻く（非常に感心する）
⑧□が下がる（心から尊敬する）
⑨□を切る（関係を断つ）
⑩□に泥を塗る（恥をかかせる）
⑪□を持つ（味方をする）
⑫□がすわる（動じない）
⑬□が立たない（とてもかなわない）

---

①顔 ②鼻 ③首 ④腕 ⑤肝 ⑥耳 ⑦舌 ⑧頭 ⑨手 ⑩顔 ⑪肩 ⑫腹・肝 ⑬歯

CHECK 5 慣用句(3)

/12

①青菜に□（元気をなくす）
②□を洗うよう（人が多い）
③□掘り葉掘り（しつこく聞く）
④□を持たす（手柄をゆずる）
⑤木に□をつぐ（筋道が通らない）
⑥高嶺《たかね》の□（手が届かない）
⑦□を割ったよう（さっぱりしていてまっすぐな性質）
⑧□も葉もない（根拠がない）
⑨雨後の□（次々と同じようなものごとが起こること）
⑩話に□が咲く（話が弾む）
⑪□二つ（よく似ている）
⑫□で鼻をくくる（冷淡である）

---

①塩 ②芋 ③根 ④花 ⑤竹 ⑥花 ⑦竹 ⑧根 ⑨竹の子 ⑩花 ⑪うり ⑫木

CHECK 7 慣用句(5)

/12

①目が□（非常に好きだ）
②目から鼻に□（頭の回転が速い）
③目に□（ひどくて見ていられない）
④目を□にする（注意深く見る）
⑤目が□（非常に忙しい）
⑥目が□（心が奪われる）
⑦目から□が出る（顔や頭を強くぶつけて、めまいがする）
⑧目を□（注意して面倒を見る）
⑨目を□（厳しく監視する）
⑩目が□（価値のあるものを見抜く力に優れている）
⑪目の□を変える（何かに熱中する）
⑫目を□させる（慌てたり驚いたりする様子）

---

①ない ②抜ける ③余る ④皿 ⑤回る ⑥くらむ ⑦火 ⑧かける ⑨光らす ⑩高い・利《き》く ⑪色 ⑫白黒

CHECK 2 ことわざ (2)

／14

①立つ□跡を濁さず
②あぶ□とらず
③能ある□は爪を隠す
④□の甲より年の功
⑤角を矯《た》めて□を殺す
⑥□心あれば水心
⑦□も鳴かずば打たれまい
⑧とらぬ□の皮算用
⑨泣き面《つら》に□
⑩□も歩けば棒に当たる
⑪やぶをつついて□を出す
⑫たで食う□も好き好き
⑬海老《えび》で□を釣る
⑭□の面に水

①鳥 ②蜂 ③たか ④亀 ⑤牛 ⑥魚 ⑦きじ ⑧たぬき ⑨蜂 ⑩犬 ⑪蛇 ⑫虫 ⑬たい ⑭かえる

CHECK 4 慣用句 (2)

／12

①□が好かない（気にくわない）
②□の手も借りたい（とても忙しい）
③□の一声（有力者の一言）
④張り子の□（虚勢を張る人）
⑤□も杓子《しゃくし》も（誰も彼も）
⑥生き□の目を抜く（素早く、油断できない）
⑦□の歩み（物事の進み方が遅い）
⑧借りてきた□（普段よりおとなしい）
⑨□知恵（浅はかな知恵）
⑩□の涙（ごくわずかなこと）
⑪飛ぶ□を落とす勢い（きわめて盛んな勢いのたとえ）
⑫□の額（非常に狭いこと）

①虫 ②猫 ③鶴 ④虎 ⑤猫 ⑥馬 ⑦牛 ⑧猫 ⑨猿 ⑩すずめ ⑪鳥 ⑫猫

CHECK 6 慣用句 (4)

／12

①足が□（金額が不足する）
②足が□（逃亡者の足取りがわかる）
③足を□（よくないことをやめる）
④足が□（腐りやすい）
⑤足を□（目的地よりも先へ行く）
⑥あげ足を□（人の言った言葉じりをとらえて、からかう）
⑦足を□（わざわざ訪ねる）
⑧足を□（進行のじゃまをする）
⑨足が地に□（そわそわする）
⑩二の足を□（しりごみする）
⑪足が□（疲れて足がこわばる）
⑫足を□（相手のすきをついて、失敗させる）

①出る ②付く ③洗う・抜く ④早（速）い ⑤延ばす ⑥取る ⑦運ぶ ⑧引っ張る ⑨着かない ⑩踏む ⑪棒になる ⑫すくう

CHECK 8 慣用句 (6)

／12

①口が□（話し方が巧みだ）
②口車に□（うまい言葉にだまされる）
③口を□（複数の人が同じことを言う）
④口が□（秘密を軽々しく他人にしゃべらない）
⑤口を□（間をとりもつ）
⑥口を□（他人の会話に割り込む）
⑦口八丁□（言うのもするのも上手である）
⑧口が□（言ってはいけないことをうっかりしゃべる）
⑨口を□（あいまいにする）
⑩口火を□（最初に話を始める）
⑪口を□（白状する）
⑫口が□（負け惜しみが強い）

①うまい ②乗る ③そろえる ④堅い ⑤利《き》く ⑥はさむ ⑦手八丁 ⑧滑る ⑨濁す ⑩切る ⑪割る ⑫減らない

CHECK 13 四字熟語 (1)

／12

①花鳥風□（自然の美しい風物）
②意気□沈（元気をなくす）
③一□一代（一生で一度である）
④立□出世（認められて、高い地位につく）
⑤我田□水（自分に都合よくする）
⑥優柔不□（ぐずぐずして、決められない）
⑦悪戦□闘（必死で戦う）
⑧危機一□（極めて危険な状態）
⑨満場一□（全員の意見が同じになる）
⑩奇□天外（非常に変わった考え）
⑪一□一会（一生に一度の出会い）
⑫□方美人（要領よくふるまう）

①月 ②消 ③世 ④身 ⑤引 ⑥断 ⑦苦 ⑧髪 ⑨致 ⑩想 ⑪期 ⑫八

CHECK 9 故事成語 (1)

／10

①書物の中で、最も優れた部分
②人の幸不幸は予測できないこと
③苦労を重ねて学問に励むこと
④余計な手助け
⑤大差がないこと
⑥重要な最後の仕上げ
⑦孤立して援軍がいないこと
⑧取るに足りないこと
⑨古いやり方にとらわれ、進歩がないこと
⑩取り越し苦労

①圧巻 ②塞翁が馬 ③蛍雪の功 ④助長 ⑤五十歩百歩 ⑥画竜点睛 ⑦四面楚歌 ⑧九牛の一毛 ⑨守株 ⑩杞憂

画竜点睛《がりょうてんせい》	圧巻	杞憂《きゆう》	蛍雪の功	九牛の一毛
塞翁が馬	守株	助長	四面楚歌《しめんそか》	五十歩百歩

CHECK 15 文学史 (1)

／12

①日本最古の歌集
②「物語の祖」といわれる作品
③日本最古の勅撰《ちょくせん》和歌集
④「土佐日記」の作者
⑤「枕草子」の筆者
⑥「源氏物語」の作者
⑦「源氏物語」の主人公
⑧「方丈記」の筆者
⑨「徒然草」の筆者
⑩「諸行無常」「盛者必衰」の無常観によって描かれた軍記物語
⑪「宇治拾遺物語」の書かれた時代
⑫「浦島太郎」「一寸法師」などが書かれた、三百余編の短編物語

①万葉集 ②竹取物語 ③古今和歌集 ④紀貫之 ⑤清少納言 ⑥紫式部 ⑦光源氏 ⑧鴨長明《かものちょうめい》 ⑨兼好法師 ⑩平家物語 ⑪鎌倉時代 ⑫御伽草子《おとぎぞうし》

CHECK 11 三字熟語 (1)

／24

※次の□に、「不」「無」「未」「非」のいずれかを入れよ。

①□開発 ②□解決
③□資格 ④□売品
⑤□注意 ⑥□責任
⑦□適当 ⑧□整理
⑨□解決 ⑩□制限
⑪□公式 ⑫□経験
⑬□景気 ⑭□常識
⑮□合法 ⑯□気力
⑰□記名 ⑱□平等
⑲□分別 ⑳□誠実
㉑□意識 ㉒□安定
㉓□始末 ㉔□神経

①未 ②未 ③無 ④非 ⑤不 ⑥無 ⑦不 ⑧未 ⑨未 ⑩無 ⑪非 ⑫未 ⑬不 ⑭非 ⑮非 ⑯無 ⑰無 ⑱不 ⑲無 ⑳不 ㉑無 ㉒不 ㉓不 ㉔無

CHECK 10 故事成語 (2)

／10

①いいかげんで誤りが多いこと
②余計な付け足し
③抑えられない猛烈な勢い
④つじつまが合わないこと
⑤文章を練り直すこと
⑥施すべき手段がないこと
⑦言葉巧みに人をだますこと
⑧前例がないことをすること
⑨他人のつまらぬ言動も自分を高める役に立つこと
⑩決死の覚悟で物事にあたること

推敲《すいこう》　他山の石　蛇足《だそく》　朝三暮四
杜撰《ずさん》　背水の陣　破天荒　矛盾　破竹の勢い
万事休す

①杜撰
②蛇足
③破竹の勢い
④矛盾
⑤推敲
⑥万事休す
⑦朝三暮四
⑧破天荒
⑨他山の石
⑩背水の陣

CHECK 14 四字熟語 (2)

／12

①意気□合（お互いの気持ちが合う）
②枝葉□節（物事の大切でない部分）
③絶□絶命（窮地に追いつめられる）
④言語道□（もってのほかである）
⑤縦横無□（思う存分にする）
⑥順風満□（物事が順調に進む）
⑦公□正大（隠し立てなく正しい）
⑧晴□雨読（のんびりした生活）
⑨一進一□（良くなったり悪くなったりする）
⑩自業《じごう》自□（自分がしたことの報いを自分で受ける）
⑪用意□到（準備に手抜かりがない）
⑫自□自賛（自分で自分を褒《ほ》める）

①投
②末
③体
④断
⑤尽
⑥帆
⑦明
⑧耕
⑨退
⑩得
⑪周
⑫画

CHECK 12 三字熟語 (2)

／22

※意味を加える漢字の使い方が正しければ○、正しくなければ×を答えよ。

①民主化　②歴史的
③論理的　④安全然
⑤人間性　⑥一本的
⑦紳士的　⑧近代化
⑨社会然　⑩合理的
⑪科学的　⑫具体的
⑬経済性　⑭対照化
⑮夜行的　⑯学者然
⑰典型性　⑱都市化
⑲倫理然　⑳威圧性
㉑効果化　㉒客観的

①○　②○
③○　④×
⑤○　⑥×
⑦○　⑧○
⑨×　⑩○
⑪○　⑫○
⑬○　⑭×
⑮×　⑯○
⑰×　⑱○
⑲×　⑳×
㉑×　㉒○

CHECK 16 文学史 (2)

／12

①「日本永代蔵」の作者
②「おくのほそ道」の筆者
③「おくのほそ道」のジャンル
④②の人物が大成した独特の庶民詩
⑤上田秋成の書いた怪異小説
⑥「古事記伝」「玉勝間」の筆者
⑦「東海道中膝栗毛《とうかいどうちゅうひざくりげ》」の作者
⑧「南総里見八犬伝」の作者
⑨「おらが春」の筆者
⑩「曽根崎心中」の書かれた時代
⑪「曽根崎心中」の作者
⑫「折たく柴の記」の筆者

①井原西鶴
②松尾芭蕉《まつおばしょう》
③紀行文
④俳諧
⑤雨月物語
⑥本居宣長《もとおりのりなが》
⑦十返舎一九
⑧滝沢馬琴
⑨小林一茶
⑩江戸時代
⑪近松門左衛門
⑫新井白石

CHECK 17 文学史(3)

① 「浮雲」の作者
② 「たけくらべ」の作者
③ 「坊っちゃん」「こころ」の作者
④ 「蒲団《ふとん》」の作者
⑤ 「城の崎にて」の作者
⑥ 「高瀬舟」「舞姫」の作者
⑦ 「羅生門」「トロッコ」の作者
⑧ 「注文の多い料理店」の作者
⑨ 「夜明け前」の作者
⑩ 「雪国」の作者
⑪ 「走れメロス」の作者
⑫ 「生れ出づる悩み」の作者

---

① 二葉亭四迷
② 樋口一葉《ひぐちいちよう》
③ 夏目漱石《なつめそうせき》
④ 田山花袋《たやまかたい》
⑤ 志賀直哉《しがなおや》
⑥ 森鷗外《もりおうがい》
⑦ 芥川龍之介
⑧ 宮沢賢治
⑨ 島崎藤村
⑩ 川端康成《かわばたやすなり》
⑪ 太宰治《だざいおさむ》
⑫ 有島武郎《ありしまたけお》

／12

CHECK 19 類義語(1)

① 向 上 ［　］
② 文 明 ［　］
③ 重 要 ［　］
④ 生 家 ［　］
⑤ 材 料 ［　］
⑥ 辞 職 ［　］
⑦ 祖 先 ［　］
⑧ 一 生 ［　］

---

⑨ 自 然 ［　］
⑩ 改 良 ［　］
⑪ 区 別 ［　］
⑫ 基 礎 ［　］
⑬ 案 外 ［　］
⑭ 苦 労 ［　］
⑮ 結 果 ［　］
⑯ 順 調 ［　］

① 進歩 ② 文化 ③ 重大 ④ 実家 ⑤ 原料
⑥ 辞任 ⑦ 先祖 ⑧ 終生 ⑨ 天然 ⑩ 改善
⑪ 差別 ⑫ 基本 ⑬ 意外 ⑭ 苦心 ⑮ 結末
⑯ 好調

／16

CHECK 21 類義語(3)

① 父 母 ［　］
② 出 版 ［　］
③ 示 唆 ［　］
④ 未 開 ［　］
⑤ 会 得 ［　］
⑥ 広 告 ［　］
⑦ 平 板 ［　］
⑧ 団 結 ［　］

---

⑨ 長 所 ［　］
⑩ 短 所 ［　］
⑪ 貢 献 ［　］
⑫ 心 配 ［　］
⑬ 興 味 ［　］
⑭ 遺 品 ［　］
⑮ 原 因 ［　］
⑯ 風 潮 ［　］

① 両親 ② 刊行 ③ 暗示 ④ 原始 ⑤ 理解
⑥ 宣伝 ⑦ 単調 ⑧ 結束 ⑨ 美点 ⑩ 欠点
⑪ 寄与 ⑫ 不安 ⑬ 関心 ⑭ 形見 ⑮ 理由
⑯ 傾向

／16

CHECK 23 対義語(1)

① 縮 小 ［　］
② 異 常 ［　］
③ 興 奮 ［　］
④ 遵 守 ［　］
⑤ 帰 納 ［　］
⑥ 温 暖 ［　］
⑦ 義 務 ［　］
⑧ 曖 昧 ［　］

---

⑨ 束 縛 ［　］
⑩ 解 散 ［　］
⑪ 延 長 ［　］
⑫ 安 全 ［　］
⑬ 可 決 ［　］
⑭ 開 始 ［　］
⑮ 栄 転 ［　］
⑯ 繁 忙 ［　］

① 拡大 ② 正常 ③ 冷静 ④ 違反 ⑤ 演繹
⑥ 寒冷 ⑦ 権利 ⑧ 明瞭 ⑨ 解放 ⑩ 集合
⑪ 短縮 ⑫ 危険 ⑬ 否決 ⑭ 終了 ⑮ 左遷
⑯ 閑散

／16

CHECK 18 文学史 (4)　／12

①「しろばんば」の作者
②「山椒魚《さんしょうお》」「黒い雨」の作者
③「潮騒《しおさい》」「金閣寺」の作者
④「海と毒薬」「沈黙」の作者
⑤「岳物語」の作者
⑥「友情」の作者
⑦歌集「みだれ髪」の作者
⑧歌集「一握の砂」の作者
⑨歌集「赤光」の作者
⑩詩集「月に吠《ほ》える」の作者
⑪詩集「智恵子抄」の作者
⑫詩集「二十億光年の孤独」の作者

①井上靖
②井伏鱒二《いぶせますじ》
③三島由紀夫
④遠藤周作
⑤椎名誠《しいなまこと》
⑥武者小路実篤《むしゃのこうじさねあつ》
⑦与謝野晶子
⑧石川啄木《いしかわたくぼく》
⑨斎藤茂吉
⑩萩原朔太郎《はぎわらさくたろう》
⑪高村光太郎
⑫谷川俊太郎

CHECK 22 類義語 (4)　／16

①知己—□
②完全—□
③思慮—□
④倫理—□
⑤円満—□
⑥方法—□
⑦民意—□
⑧将来—□
⑨沿革—□
⑩親切—□
⑪手本—□
⑫内容—□
⑬応答—□
⑭便利—□
⑮音信—□
⑯納得—□

①親友 ②無欠 ③分別 ④道徳 ⑤温厚
⑥手段 ⑦世論 ⑧未来 ⑨変遷 ⑩厚意
⑪模範 ⑫実質 ⑬返事 ⑭重宝 ⑮消息
⑯承知

CHECK 20 類義語 (2)　／16

①転居—□
②有名—□
③再興—□
④精密—□
⑤快活—□
⑥倹約—□
⑦倒産—□
⑧追想—□
⑨職務—□
⑩熟読—□
⑪利息—□
⑫列席—□
⑬栄養—□
⑭方針—□
⑮瞬間—□
⑯野望—□

①移転 ②著名 ③復興 ④綿密 ⑤活発
⑥節約 ⑦破産 ⑧回想 ⑨任務 ⑩精読
⑪利子 ⑫出席 ⑬滋養 ⑭指針 ⑮瞬時
⑯野心

CHECK 24 対義語 (2)　／16

①破壊—□
②収入—□
③能動—□
④慢性—□
⑤需要—□
⑥差別—□
⑦抽象—□
⑧上昇—□
⑨怠惰—□
⑩逆接—□
⑪故意—□
⑫原因—□
⑬自然—□
⑭主観—□
⑮偶然—□
⑯好況—□

①建設 ②支出 ③受動 ④急性 ⑤供給
⑥平等 ⑦具体 ⑧下降 ⑨勤勉 ⑩順接
⑪過失 ⑫結果 ⑬人工 ⑭客観 ⑮必然
⑯不況

CHECK 29 同訓異字 (1)

/12

①予定をアけておく。
②夜がアけて朝になる。
③お墓に花をソナえる。
④今夜の台風にソナえる。
⑤黒板の文字をノートにウツす。
⑥鏡に自分の姿をウツす。
⑦王様が国をオサめる。
⑧学問をオサめる。
⑨あやまちをオカす。
⑩他者の権利をオカす。
⑪料理がすっかりサめる。
⑫毎朝六時に目がサめる。

①空 ②明 ③供 ④備 ⑤写 ⑥映 ⑦治 ⑧修 ⑨犯 ⑩侵 ⑪冷 ⑫覚

CHECK 25 対義語 (3)

/16

①積極―□
②分散―□
③前進―□
④単純―□
⑤成功―□
⑥直接―□
⑦手動―□
⑧楽観―□
⑨模倣―□
⑩勝利―□
⑪絶対―□
⑫入場―□
⑬進化―□
⑭専業―□
⑮増加―□
⑯生産―□

①消極 ②集中 ③後退 ④複雑 ⑤失敗
⑥間接 ⑦自動 ⑧悲観 ⑨創造 ⑩敗北
⑪相対 ⑫退場 ⑬退化 ⑭兼業 ⑮減少
⑯消費

CHECK 31 熟字訓 (1)

/24

①行方 ②太刀
③芝生 ④早苗
⑤時雨 ⑥乳母
⑦息子 ⑧心地
⑨硫黄 ⑩凸凹
⑪木綿 ⑫笑顔
⑬固唾 ⑭吹雪
⑮砂利 ⑯鍛冶
⑰田舎 ⑱竹刀
⑲足袋 ⑳弥生
㉑為替 ㉒雪崩
㉓波止場 ㉔相撲

①ゆくえ ②たち
③しばふ ④さなえ
⑤しぐれ ⑥うば
⑦むすこ ⑧ここち
⑨いおう ⑩でこぼこ
⑪もめん ⑫えがお
⑬かたず ⑭ふぶき
⑮じゃり ⑯かじ
⑰いなか ⑱しない
⑲たび ⑳やよい
㉑かわせ ㉒なだれ
㉓はとば ㉔すもう

CHECK 27 同音異義語 (1)

/12

①赤イガイの色なら好きだ。
②イガイな意見が飛び出した。
③部屋をエイセイ的に保つ。
④人工エイセイを打ち上げる。
⑤カイシンして真面目になった。
⑥カイシンの作品が完成した。
⑦幼い頃をカイソウする。
⑧店内カイソウのため休業する。
⑨窓をカイホウして換気する。
⑩病気がカイホウに向かっている。
⑪成功をカクシンしている。
⑫カクシンをついた質問だ。

①以外 ②意外 ③衛生 ④衛星 ⑤改心 ⑥会心 ⑦回想 ⑧改装 ⑨開放 ⑩快方 ⑪確信 ⑫核心

CHECK 26 対義語 (4)

/16

① 悪意 ― □
② 許可 ― □
③ 脱退 ― □
④ 遺失 ― □
⑤ 損失 ― □
⑥ 総合 ― □
⑦ 被告 ― □
⑧ 特殊 ― □
⑨ 理想 ― □
⑩ 精神 ― □
⑪ 加害 ― □
⑫ 喜劇 ― □
⑬ 革新 ― □
⑭ 軽蔑 ― □
⑮ 実践 ― □
⑯ 全体 ― □

①善意 ②禁止 ③加入 ④拾得 ⑤利益 ⑥分析 ⑦原告 ⑧一般 ⑨現実 ⑩肉体 ⑪被害 ⑫悲劇 ⑬保守 ⑭尊敬 ⑮理論 ⑯部分

CHECK 30 同訓異字 (2)

/12

①あの人はいつもヤサしい。
②この問題はとてもヤサしい。
③事故のないようにツトめる。
④生徒会長をツトめる。
⑤屋上から富士山をノゾむ。
⑥選手たちが決勝戦にノゾむ。
⑦学校までの時間をハカる。
⑧問題の解決をハカる。
⑨試合会場に姿をアラワす。
⑩気持ちを言葉にアラワす。
⑪紙がヤブれる。
⑫赤チームが試合にヤブれる。

①優 ②易 ③努 ④務 ⑤望 ⑥臨 ⑦計 ⑧図 ⑨現 ⑩表 ⑪破 ⑫敗

CHECK 28 同音異義語 (2)

/12

①夜、カンショウにひたる。
②美術館で絵をカンショウする。
③徒キョウソウに出場する。
④友人とゲームでキョウソウする。
⑤会長選挙では彼をシジしたい。
⑥有名な画家にシジして絵を学ぶ。
⑦逆転のゼッコウのチャンスだ。
⑧友人とゼッコウする。
⑨ヒッシになって練習する。
⑩彼の優勝はヒッシだ。
⑪明日の遠足のヨウイをする。
⑫ヨウイに解ける問題だ。

①感傷 ②鑑賞 ③競走 ④競争 ⑤支持 ⑥師事 ⑦絶好 ⑧絶交 ⑨必死 ⑩必至 ⑪用意 ⑫容易

CHECK 32 熟字訓 (2)

/24

①浮つく ②三味線
③尻尾 ④意気地
⑤早乙女 ⑥白髪
⑦草履 ⑧五月雨
⑨小豆 ⑩日和
⑪名残 ⑫二十歳
⑬五月 ⑭風邪
⑮若人 ⑯海原
⑰叔父 伯父 ⑱叔母 伯母
⑲立ち退く ⑳土産
㉑梅雨 ㉒紅葉
㉓老舗 ㉔仮名

①うわつく ②しゃみせん ③しっぽ ④いくじ ⑤さおとめ ⑥しらが ⑦ぞうり ⑧さみだれ ⑨あずき ⑩ひより ⑪なごり ⑫はたち ⑬さつき ⑭かぜ ⑮わこうど ⑯うなばら ⑰おじ ⑱おば ⑲たちのく ⑳みやげ ㉑つゆ ㉒もみじ ㉓しにせ ㉔かな

ひっぱると，はずして使えます。

10分間で サクッと 総復習

中学3年間の国語

解答編

1 熟語の構成・類義語・対義語

本文P.2

1 寒暖
2 イ
3 エ
4 エ
5 複雑
6 ウ
7 エ
8 ウ
9 ア

解説

2 「歓喜」と**イ**「豊富」は、似ている字を重ねたもの。**ア**「匿名」は、上が動作、下が目的や対象の字になっているもの。**ウ**「出納」は、反対の意味の字を重ねたもの。**エ**「雷鳴」は、主語・述語の関係になっているもの。

4 「通園」と**エ**「遭難」は、上が動作、下が目的や対象の字になっているもの。**ア**「粗雑」は、似ている字を重ねたもの。**イ**「県営」は、主語・述語の関係になっているもの。**ウ**「盛衰」は、反対の意味の字を重ねたもの。

6 「密疎」と**ウ**「表裏」は、反対の意味の字を重ねたもの。**ア**「公園」は、上の字が下の字を修飾しているもの。**イ**「豊富」は、似ている字を重ねたもの。**エ**「日没」は、主語・述語の関係になっているもの。

ポイント　二字熟語の構成の中には、「刻刻（刻々）」など同じ漢字を重ねるものもある。

2 ことわざ・慣用句・故事成語

本文P.4

1 ア
2 ①足　②腕　③腹
3 舌
4 ア
5 ウ
6 ①東・西　②田・水

解説

1 **ア**の「案ずるより産むが易《やす》し」は、始める前はあれこれ心配をするが、実際にやると案外たやすくできることのたとえ。**エ**の「雨降って地固まる」は、もめ事のあと、かえって良い結果や安定した状態を保てるようになること。

2 ②「腕をふるう」は、持っている力を存分に発揮して優れた仕事をすること。類似の慣用句に「腕によりをかける」（＝腕前を発揮しようと張り切る）がある。③「腹をくくる」の同義語には「臍《ほぞ》を固める」などがある。持っている技量のことを「手腕」、「腕前」などという。

4 **ア**「馬が合う」は、気が合うこと。**イ**「息をのむ」は、驚いて思わず息を止めること。**ウ**「二の足を踏む」は、ためらうこと。**エ**「板につく」は、その仕事にすっかりなじむこと。**ア**以外は文として意味が合わない。

6 ①「東奔西走」は、忙しく走り回ること。②「我田引水」は、自分の都合のいいように取りはからうこと。

ポイント　ことわざや慣用句は、反対の意味のものや同じ意味のものを合わせて覚えるようにしよう。故事成語は、元となった中国の故事も教科書などで確認しておこう。

3 文節・文の成分

本文P.6

1 イ
2 イ
3 エ
4 ウ
5 主語…もてなしは　述語…異なります
6 託された

解説

1 **エ**は単語に分けたもの。設問を読み間違えて選ばないように注意。

2 「こわれてしまうのだ」は、「こわれて」と「しまうのだ」の二文節に分けられる。「しまうのだ」の「しまう」は補助動詞なので、文節を作る。

3 「なっている」は「なって」と「いる」に分かれる。主な意味を表す文節（なって）に、意味を補う文節（いる）が付いて、一まとまりになっているので、**エ**補助の関係である。

4 それぞれの主語・述語の関係を見ると、**ア**「問題点は…難しい」、**イ**「私は…食べてくれた」、**ウ**「私は…している」、**エ**「夢は…とりたい」であり、関係が成り立つのは**ウ**のみである。

5 「西洋のサービスとは」の部分が主語に見えるが、これは「異なります」にかかる修飾語である。

6 「兄」が「弟」に「託した」のだから、この主語を「弟」に変えると、「兄」によって「託された」ことになる。

ポイント　文の成分や、文節どうしの関係にはどのようなものがあるのかを、きちんと確認しておこう。

4 品詞の種類・活用しない自立語

本文P.8

1 ①イ　②カ　③エ　④ク
2 ①オ　②ウ　③ア　④イ　⑤エ
3 ①イ　②イ　③エ
4 ア

解説

1 ①は自立語で活用があり、言い切りの形が「平べったい」なので形容詞。②は自立語で活用がなく、動詞（用言）を修飾しているので副詞。③は付属語で活用があるので助動詞。④は自立語で活用がなく、主語になることもできる語なので名詞。

2 副詞の呼応の問題。**ア**「どうして」は③「か」と、**イ**「まるで」は④「ような」と、**ウ**「けっして」は②「ない」と、**エ**「もし」は⑤「ば」と、**オ**「おそらく」は①「だろう」と、それぞれ呼応する。

3 ①は自立語で活用がなく、主語にならず、連体修飾語なので、連体詞である。**ア**は形容動詞、**イ**は連体詞、**ウ**は形容詞、**エ**は名詞なので正解は**イ**である。②は自立語で活用がなく、主語にならず、連用修飾語なので、副詞である。**ア**は連体詞（形容動詞の語幹とする説もある。）、**イ**は副詞、**ウ**は形容詞、**エ**は連体詞なので、正解は**イ**である。③は自立語で活用がなく、主語になれる語なので、名詞である。**ア**は副詞、**イ**は連体詞（形容動詞の語幹とする説もある。）、**ウ**は形容詞、**エ**は名詞なので、正解は**エ**である。

4 **ア**のみが連体詞。**イ**・**ウ**・**エ**はいずれも動詞である。

ポイント　品詞の種類は、自立語か付属語か、活用の有無、主語になるか述語になるか、連用修飾語か連体修飾語か、などによって見分ける。

5 活用する自立語

本文P.10

1 ウ
2 エ
3 種類…サ行変格（活用）　活用形…未然（形）
4 寒かろ
5 オ
6 ア
7 イ

解説

1 **ウ**「来る」はカ行変格活用。

2 「届いた」と**エ**「書きたい」は連用形。**ア**「降らない」は未然形。**イ**「思うらしい」は終止形。**ウ**「聞かれた」は未然形。

3 サ行変格活用「する」の未然形は「し・せ・さ」。

4 形容詞の未然形は「う」に続くかたち。「寒かろう」となる。

5 **ア**は「苦しみ」の撥《はつ》音便（「ん」の音に変化すること）で連用形。**イ**は助動詞「ます」の上だから連用形。**ウ**は連用形の中止法（文をいったん中止し、あとに続ける用法）。**エ**は助動詞「た」の上だから連用形。**オ**が未然形であり、これだけが異なっている。

6 活用形ではなく、活用の種類を問う問題。**ア**は下一段活用、**イ・ウ・エ**は五段活用。

ポイント　文法の識別問題は、一定の見分け方を身につける。活用表のかたちだけでなく、その活用形のあとにつく言葉なども知っておこう。

6 まぎらわしい品詞の識別①

本文P.12

1 記号…オ　品詞名…助動詞
2 イ
3 1
4 イ

解説

1 「リハーサルのときに見た花であって」の「で」は、断定の助動詞「だ」の連用形であり、「リハーサルのときに見た花だ。」と言い切ることができる。**オ**も同じように「彼は委員長だ。それに友人からの信頼もあつい。」と言い切ることができる。**ア・エ**は共に「格助詞」である。**イ**は形容動詞「きれいだ」の活用語尾、**ウ**は接続助詞「て」が「で」になったもの。

2 「電球を新しいのと取り替えてよ。」の「の」は、格助詞「の」の体言の代用であり、「新しいものと」に置きかえられる。**イ**も同様に、「私はお菓子を作ることが得意です」に置きかえられる。**ア**は主語の用法で、「彼女が書いた作文が入選したね。」に置きかえられる。**ウ**は連体修飾の用法で、「体言＋の＋体言」になっている。**エ**は逆接の接続助詞「のに」の一部である。

3 **ア**と、**イ**の「で」は、どちらも格助詞で「道具・手段」の用法である。よって**1**の組み合わせが正解。**ウ**は順接の接続助詞「ので」の一部、**エ**は「例示」を表す副助詞「でも」の一部。

4 「本というのは」の「の」は格助詞「の」の体言の代用で、「本というものは」に置きかえられる。**ア**と**ウ**は連体修飾、**エ**は主語の用法である。

ポイント　助詞の識別は、他の言葉に置き換えられるかどうかで判断する。また、前後の単語にも注意する。

7 まぎらわしい品詞の識別 ②

本文P.14

1 Ⅰ群…ウ　Ⅱ群…ケ
2 エ
3 ア
4 ウ

解説

1 ――線部「らしい」は付属語で活用があるので、Ⅰ群は**ウ**助動詞を選ぶ。**カ**と**キ**はいずれも形容詞の一部で、**ク**は「～ぽい、～的」という意味の接尾語で、「君らしい」は形容詞になるので、Ⅱ群は――線部「らしい」と同じ推定の意味を表す助動詞**ケ**を選ぶ。

2 **ア**～**ウ**は様態の意味を表し、**エ**だけが伝聞の意味を表している。

3 **ア**は「みなさん」を敬う場面に用いていることから、「尊敬」の意味を表す。**イ**・**ウ**・**エ**・**オ**はすべて「受身」の意味を表す。

4 **ア**・**イ**・**エ**・**オ**は、すべて打ち消しの助動詞「ない」であり、**ア**「労働せぬ」、**イ**「漢詩は知らぬ」、**エ**「横綱になるとかならぬとか」、**オ**「追いつかぬ」と「ぬ」に置きかえることができる。**ウ**は「あどけない」という形容詞の一部であり、「ぬ」に置きかえることができない。

ポイント　「れる・られる」「ない」の識別はよく出題される。

「れる・られる」①受身（～に・から、～れる。）②尊敬（先生・お客様が、～れる。）③自発（自然とそのようになる。）④可能（～することができる。）

「ない」①助動詞（「ぬ」に置きかえられる・多くは直前が動詞。）②形容詞（「ぬ」に置きかえられない・多くは「お金が／ない」のように直前が文節に切れる。）
※形容詞の一部（「情けない」「はかない」など）は最初に選択肢から除外しておく。

8 敬語

本文P.16

1 エ
2 ウ
3 ウ
4 エ
5 ①イ　②ア

解説

1 ①手料理を食べる客に対する敬意を表すので、尊敬語を用いる。②従業員が荷物を持つことをへりくだった言い方にすることで客に対する敬意を表すので、謙譲語を用いる。

2 先生に対する敬意を示すので、尊敬語の**ウ**「おいでになる」が良い。**ア**「おじゃまする」は、へりくだった気持ちを表す謙譲語。**イ**「うかがわれる」、**エ**「まいられる」は敬語表現として誤り。

3 **ア**は、「伝票にご署名になってください。」等が正しい。**イ**「ご注文のコーヒーになります。」の部分を「ご注文のコーヒーでございます。」とするのが正しい。**エ**「千円からお預かりします。」の部分が日本語の表現として誤っている。「千円お預かりします。」とするのが正しい。

4 **エ**「召し上がる」は、「食べる」の尊敬語。

5 ①尋ねた相手の動作を敬う場面なので、「聞く」の尊敬語である**イ**「お聞きになって」が良い。②お茶を飲む相手に敬意を示す場面なので、**ア**「召し上がって」がふさわしい。**イ**「いただかれて」は敬語表現として誤り。

ポイント　尊敬語は相手の動作・状態に用い、謙譲語は自分（身内）の動作・状態に用いる。

サクッと入試対策 ①

本文 P.17

1 ①エ・カ ②ア・ク ③ウ・オ ④キ・コ ⑤イ・ケ
2 ①抽象・ウ ②義務・エ ③供給・オ
3 ①ア ②イ ③エ
4 ①あぶはち ②すずめ
5 ①粉 ②根・葉 ③顔
6 ①イ ②ウ ③エ ④ア

解説

1 ①「寒冷」は、似ている字を重ねたもの。②「投石」は上が動作、下が目的や対象の字になっているもの。③「曲直」は、反対の意味の字を重ねたもの。④「歩道」は、上の字が下の字を修飾しているもの。⑤「私立」は、主語・述語の関係になっているもの。

3 ②「音信」は、「音信不通」などと使う。

4 ①「二兎《と》を追う者は一兎をも得ず」は同時に二つのことをすると、結局どちらも成功しないという意味。②「三つ子の魂百まで」は、幼い時の性質は一生変わらないという意味。

5 ①は「身を粉《こ》にして働く」、②は「根も葉もないうわさ」、③は「業界に顔が広い」というように使う。

ポイント 熟語の組み立ては、上下の漢字の関係をパターン別に分けながら覚えよう。

サクッと入試対策 ②

本文 P.18

1 ①○ ②× ③×
2 ①ア ②ウ ③オ
3 ①六 ②六 ③七
4 ア
5 イ
6 ①例存じ上げて ②お聞きになって ③例おっしゃった

解説

1 ②「降るそうだ」で一文節である。③「ある一室」→「ある／一室」、「掲げてあった」→「掲げて／あった」とそれぞれさらに文節に分けられる。

2 それぞれの文の成分は、①「感じられた」との対応から、**ア**「主語」、②「見守る」を修飾するから、**ウ**「修飾語」、③他の文節と直接関わりのないことから、**オ**「独立語」である。

3 ①梅雨明けには一週間ほど早く、しばらく雨天が続くようだ。
②デパートの売り場には、黒山のひとだかりができていた。
③畑のとうもろこしをすべて売っても少しのお金にしかならない。

5 「扉の向こうには、とんでもない宝物がありそうだ。」は、助動詞「そうだ」の「様態」の用法で、**イ**がこれと同じ。**ア**・**ウ**は、助動詞「そうだ」の「伝聞」の用法、**エ**は感動詞。

6 ①「私の父」は身内なので謙譲語を使う。②「来客」を敬う場面なので尊敬語を用いる。③「言われた」でも正しい。

ポイント 副助詞「さえ」は、「限定」の用法の場合、「〜さえ〜ば」の形となり、あとに「〜ば」を伴う。

9 詩の読解

本文P.19

〈まとめ〉ア

〈サクッと確認〉エ

1 (1)エ

解説

1 (1)**ア**～**エ**の選択肢の内容を見ると、第一・二連の内容、第三・四連の内容に分けて説明していること、それとともに、表現技法にも触れていることがわかる。それらに着目して、詩の内容を見ていく。一連では、樹《き》に対して、「……ないかしら」、二連では鳥に対して「……ないかしら」という形で、樹や鳥と一体化したいという思いが表されていることをとらえる。三・四連では、夕陽《ゆうひ》に対して「教えておくれ」というお願い（要望）を繰り返すことによって、自然のいろいろなことを知りたいという思いが表されている。このことを踏まえて選択肢の内容を一つ一つ見ていくと、**ア**は第三・四連について、「常に自然を探求していこうという作者の固い決意」があてはまらない。**イ**は第三・四連について、「自然界に深い疑いを抱いている」があてはまらない。**ウ**は第一・二連について「比喩表現を用いる」、第三・四連についての「大人になっても自然を忘れないでいたい」があてはまらない。**エ**は第一・二連は「自然と一体化したい」、第三・四連は「問いかけの言葉」「自然に対して強くひかれている」が詩の内容に合っている。

ポイント 各連で描かれている内容や心情を読み取ったうえで、それぞれの選択肢の中から、誤っている部分を見つけて、正解を導くとよい。

10 短歌・俳句の読解

本文P.21

〈まとめ〉1B　2①D　②F

〈サクッと確認〉①イ　②Aかな　Bけり

1 イ

2 (1)D　(2)C

3 ア

解説

1 **ア**～**エ**の選択肢を順に見ていき、完全に誤っている部分を見つけていく。**ア**は「白い夕顔の花が激しい雨に打たれている」が誤り。**イ**は短歌の内容に合っている。**ウ**は「雨雲に覆われて」、「白い夕顔の花が咲くのを静かに待っている人々の様子」が誤り。**エ**は「夕顔の花が次々と咲いていく」が誤り。

2 (1)春の様子を詠《よ》んでいる俳句を探すと、「花吹雪《ふぶき》」という季語を用いている**D**が見つかる。俳句の最後を体言で止めていることからも、**D**が正解となる。なお、**A**の「葉桜」は、桜の花が散ったあとの若葉の季節を表しているので夏の季語であることに注意する。(2)冬の俳句は**B**と**C**の二つあるが、「激しい動き」を表す「雪後《せつご》の天の怒濤《どとう》かな」と「切れ字」を使って詠んでいる**C**がふさわしい。

3 「梅」は春の季語だから、**ア**か**ウ**ということになる。「青鮫《あおざめ》が来ている」は、青っぽい、春の気が立ちこめている庭の様子を「ようだ」を使わないでたとえているから隠喩。したがって、**ア**が正解。

ポイント 短歌・俳句ともに、一語一語に注意して、描かれている情景を読み取ろう。俳句では、間違えやすい季語に注意するとともに、切れ字、表現技法について正確に理解しておくことが大切。

サクッと入試対策 ③

本文 P.23

1 (1) イ・エ（順不同）
(2) 9・10
(3) 生きようとするしずかなこころ（が）（14字）

解説

1 (1) 二・三行目に着目する。「とおくなったり／ちかくなったり」は、似た組み立ての語句を二行並べ、対句が使われている。「紐《ひも》をほどくように」と「ようだ」を使って、雨の降る様子をたとえているので、直喩が使われているとわかる。

(2) 「あたたかい雨」がどのように降っているかは、第一連と第二連にも描写されている。そして続く第三連には、「生きようとしているすべてのものたちの／もっとも深く柔らかいぶぶんに届くようにと」とあり、この部分は内容の上から「降ってくる」に続くことに着目する。この連の二行に、雨がどういう思いで降ってくるのか、作者の感じたことが表現されていることを読み取る。

(3) 第四連からは、内容が変わって、「わたしたち」が登場していることに着目する。一本の傘の容量に収まらなくて、肩が半分ぬれている。ぬれたことで、「気がつく」ことがあったのだ。第五連からは、「肩先の冷たさ」から「生きようとする／しずかなこころが」「わたしたち」にもあったことに気づいたのだとわかる。

ポイント　詩の内容が、第一～三連と第四・五連で変わっていることを捉える。倒置が使われているが、内容の上からどこに続いていくかを読み取ることが大切。

サクッと入試対策 ④

本文 P.24

1 (1) A　(2) a A　b B
(3) 薔薇の芽の針・春雨（順不同）
(4) E 蛙・春　F 桐一葉・秋
(5) H
(6) G

解説

1 (1) 句切れは、意味の切れ目で、普通の文なら句点（。）がつくところである。Aの短歌を見ていくと、「金色のちひさき鳥のかたちして銀杏《いちょう》ちるなり／夕日の岡に」と四句で切れる。B・C・Dは句切れなしの短歌。

(2) a Aの短歌がたとえを表す言葉を使わず、「銀杏」を「鳥」にたとえている。b 短歌の結句に着目すると、Bの短歌が「帽子のへこみ」と体言で終わっていることがわかる。

(3) 「やはらかに」の前後に着目する。

(4) 季節感を表す動植物に着目する。Fは「桐《きり》」だけでは正解ではない。桐の葉が散っているので、秋。「桐の花」の場合は夏の季語になる。

(5) 自由律俳句は、季語や音数にとらわれない俳句のこと。Hの「足のうら洗へば白くなる」には季節を感じさせる言葉はない。「五・七・五」にもとらわれていない。

(6) Gの「咳《せき》の子」は風邪を引いている子。外へ遊びに行けなくて、母親に「なぞなぞあそび」をしてほしいとねだり、甘えている様子を描いている。

ポイント　短歌・俳句に描かれている情景を捉えて、内容を読み取る。

11 古文の基礎①

本文 P.25

〈まとめ〉然るべき～まじく候
〈サクッと確認〉是は鈍くして、あやまちあるべし

1 (1)あじわい　(2)エ　(3)塩を添へたる湯漬け（9字）
(4)例 思いがけず得た感動を再びくり返すのは難しいという共通点。（28字）

解説

1 (1)（語頭以外の）「は・ひ・ふ・へ・ほ」は「わ・い・う・え・お」になる。
(2)「思ひまうけて」は「思ひ設けて」。「あらかじめ心積もりして」という意味。
(3)「山海の珍味」との対比を見つける。

【現代語訳】

人に食事をもてなされておいしいと思い、それを自分の家でこしらえて食べる時は、人の家で食したときより、おいしく感じられない。どうしてかというと、自分の家で食べるときには、うまいはずだと期待して食べるからだ。食べ物は、思いがけず食べるものに旨味《うまみ》がある。そうであるので、粗末な食事でも、旨さを思いがけないところで感じることがある。また、その時とその場所によって、あるいは自分の腹具合によって、自分の口に適《かな》ったもの以上においしいものはあるはずがない。塩を添えただけの（質素な）湯漬けでも、空腹のときには山海の珍味（どんなご馳走《ちそう》）よりも旨い。絵の道も同じことである。最初に描いたように描こうと思っても、写しだしてみると、筆の勢いも墨の色もすべて、前と異なり、再びまねることはめったにない。

ポイント　歴史的仮名遣いと現代仮名遣いの違いをつかみ、どのように置き換えるかというルールを再確認する。

12 古文の基礎②

本文 P.27

〈まとめ〉(1)翁　(2)ア
〈サクッと確認〉①延喜の帝　②仰せごと

1 (1)イ　(2)エ

解説

1 (1)原因＝成通卿《なりみちきょう》が蹴鞠《けまり》の道に長年いそしんだ（年ごろ鞠を好み給《たま》ひけり）
↓（その徳として）
結果＝蹴鞠の精の出現（あらはれて見えけり）

【現代語訳】

成通卿は、長年にわたって蹴鞠の道を好んで（励んで）いらっしゃった。その功徳《くどく》（おかげ）があったのだろうか、ある年の春に、蹴鞠の精が、蹴鞠の庭の柳の木の枝に姿を現した。（その姿は）みづらの髪型をした少年で、十二、三の年頃で、青色の唐装束《からしょうぞく》を身につけて、たいへんかわいらしい様子であった。

なにごとにおいても（一つの道を）始めようとするならば、その奥深いところを極めて、（成通卿のようにその）功徳を現す、というようにしたいものだが、このような（奇特な）例は、めったにないものである。

そうであるので、

学ぶ者は牛の毛のごとく多い。得る者は麒麟《きりん》の角のごとく珍しいともある。

また、

することが難しいのではない。よくすることが難しいのであるとも言われている。本当にその通りだと思える事例はあるのだなあ。

ポイント　前半で実例を挙げて、後半でまとめている。

13 古文の読解

本文 P.29

〈まとめ〉ウ
〈サクッと確認〉イ

1 (1)イ　(2)ア　(3)エ

解説

1 (2)誰の会話であるか、誰に対して話しているのか。老女→権九郎《ごんくろう》

【現代語訳】

この頃名人とたたえられ、将軍からも紫調《しらべ》をいただいた新九郎《しんくろう》が、まだ権九郎という名であった頃、毎日鼓《つづみ》の修行に精を出していたが、まだ自分で納得できる鼓の音が出せないその時に、長年にわたって（権九郎の家で）召し使っていた老女が、朝ごとにお茶などをもって権九郎に給仕していたが、ある時申し上げたことには、「ご主人様の鼓の腕もたいそう上達なさいました」ということを申し上げたので、権九郎もおかしく思って、「女の身であるお前は鼓の音はいつも聞いてはいるが（鼓に）習熟しているわけではない。(なのに)私の鼓の腕前が上達したというのはどういうわけか」と笑いながら尋ねたので、老女が答えて言うには、「私に能楽のことなどわかるはずもありません。けれどもあなたの親である新九郎様の鼓の音を何年も聞いていたところ、朝ごとにお茶を煮る茶釜に（親新九郎様が打つ）鼓の音が格別に響いて聞こえました。これまでご主人様の打つ鼓にはそのようなことはありませんでしたが、この四、五日は鼓の音が毎回茶釜に響きますので、それで上達なさったということを知りました」と答えたそうだ。長年にわたって耳が馴れると自《おの》ずと繊細に良い悪いもわかるようになるのだなと、権九郎も感心したということだ。

ポイント　権九郎は誰の何に「感心」したのかを押さえる。

14 漢文の基礎と読解

本文 P.31

〈まとめ〉①四 十 而 不レ 惑
②五 十 而 知二 天 命一
〈サクッと確認〉ア

1 (1)七言絶句
(2)風 従二 鞋 底一 掃レ 雲 迴
(3)エ
(4)ウ

解説

1 (1)五言（五字）か七言（七字）か、絶句（四句）か律詩（八句）かで区別する。
(2)書き下し文と照らし合わせる。「鞋底《あいてい》」（二文字）から「よりして」に戻るから〔一・二〕点を、「雲」から「掃」に戻るから〔レ〕点を使う。
(3)羊腸は屈曲した山道。石の上に生えた苔《こけ》は滑《なめ》らかで滑《すべ》りやすい。
(4)注に着目。「学生が勉学に励むこと」とある。

【現代語訳】

山を共に行く同志に示す詩
山の路は羊のはらわたのように曲がりくねり、石に生えた苔は滑りやすい
風は足下から吹き起こり、雲をはらうようにして山肌を吹きめぐる
山に登ることはちょうど学生が勉学に励むことに似ている
一歩一歩高みを目指せば、おのずと光景が眼前に開けてくる

ポイント　漢詩は、まず形式を見分けられるようにする。また、一・二点、レ点の使い分けを覚えておく。

サクッと入試対策 ⑤

本文 P.33

1 (1) 例 不要な（3字）
(2) かきつばた〜の心をよめ　(3) イ

【現代語訳】

Ⅰ　昔、ある男がいた。その男は、自分を不要なものと思いつめて、京には留まるまい、東の国に住むべきところを求めに行こうと思って出立した。以前からの友人を一人二人連れだって旅立った。（だが）道中に詳しい人もおらず、迷いながら旅した。三河《みかわ》の国の八橋《やつはし》という所に着いた。その地を八橋と呼ぶのは、河がクモの足のように八方に分流しているので、橋が八つ架けられて、この地名になったからだ。その沢のそばの木陰に降りて、乾飯《かれいい》を食べた。その沢にはカキツバタがたいへん情趣のある様子で咲いていた。それを見て連れのある人が「かきつばたという五文字を句の頭において、旅の思いを詠《よ》め」というので「唐衣《からころも》のように慣れ親しんだ妻を京に残してはるばるやってきた旅をしみじみと思うことだよ」と詠んだので、皆涙をこぼし乾飯がふやけてしまった。

Ⅱ　さらに旅していくと、武蔵《むさし》と下総《しもつふさ》の国の間にたいへん大きな河がある。すみだ河と呼んでいる。その河のそばに集まって、京に思いをはせれば、こんなにも遠くまできてしまったと悲しんでいるところへ、河の渡し守が「早く乗れ、日が暮れてしまう」というので、乗って渡ろうとするが、皆気持ちがしずんでしまって、京に愛する人がいないわけではない。そのような折、白い鳥で、嘴《くちばし》と脚が赤い、鴫《しぎ》ほどの大きさの鳥が水の上で遊びながら魚を食べている。京では見慣れない鳥なので、誰も見知らない。渡し守に尋ねると「これが都鳥だ」というのを聞いて「都という名がついているのなら、さあおまえに尋ねよう私の愛する人は無事でいるかどうかと」と詠んだので船の中の人たちは皆涙にくれてしまった。

サクッと入試対策 ⑥

本文 P.34

1 (1) 奪㆓其　巵㆒曰、
(2) 例 あなたはどうしてない足を描くことができようか、いや描くことはできない。
(3) 蛇足

解説

1 (1) 訓読文では「奪《ヒテ》其《ノ》巵《ヲ》曰《ハク》」とあり、これに対応する書き下し文では「其の巵を奪ひて曰はく」となっているから、「其の巵を」→「奪ひて」→「曰はく」の順となる。「其巵」は二文字であるから「奪」に返る時は一・二点を用いることになる。

(2) 漢文独特の表現の一つ「反語形」。形は疑問形だが、反対のことを表す強調表現。〔なんぞ・いづくんぞ・たれか〜んや〕の形。「どうして〜であろうか、いや、〜でない」の意味。他に、否定形・疑問形・使役《しえき》形・受身形・仮定形などがあるが、書き下し文や現代語訳を伴うことが多いので、参考にするとよい。

(3) 故事成語とは、古典に由来し、歴史的な事実や言い伝えをもとに作られた言葉。問題文の話から「蛇足」（無駄な行為、あっても役に立たない）という言葉ができた。故事成語は他に、
・矛盾＝つじつまの合わないこと。最強の矛と最強の盾の話から。
・杞憂《きゆう》＝不必要な心配。杞の国の人が天が落ちてこないか心配した話から。
などがある。

ポイント　返り点は、まず「レ点」か「一・二点」かを考える。訓読文がある時は、それに対応させて確認する。

15 論説文① 本文P.35

〈まとめ〉ウ

〈サクッと確認〉ア

1 (1)エ

(2)例職業を選択する（職業選択をする）

解説

1 (1)――線部「そんな」が指す前の二段落に着目する。時代は変わり、今は「世の中の仕事の形態も僕たちのライフスタイルも目まぐるしく変化して」おり、「そうした変化に適応していかなければならない」、そして、「具体的な部分は絶えず見直しを迫られる」時代なのである。

(2)最初の段落に着目する。「青年期のアイデンティティをめぐる葛藤の中核」にあるのは、「職業的アイデンティティを固めることができない」ことである。時代が変わっても、「アイデンティティの確立は、思春期から青年期にかけて格闘すべき重要な課題」であり、これは、具体的には、自分の「職業選択をめぐる葛藤」に決着をつけること、つまり、職業を選択することなのである。

ポイント 指示語の指す内容は、直前の内容をおさえることが大切。ただし、一語や、短い文を指しているとは限らない。(1)のように、広い範囲に渡る内容を指していることもある。指示語が指している内容はどこからどこまでか、しっかり確認すること。

16 論説文② 本文P.37

〈まとめ〉イ

〈サクッと確認〉ウ

1 (1)雌花のほうが先に咲き雄花は時期が遅れて咲く

(2)エ

解説

1 (1)――線部の直前に「こうして」という指示語がある。「こうして」の指す内容をとらえると、オオバコがどのようにして花期をずらしているかがわかる。そこで、「こうして」より前に書かれている内容に着目する。少し前に、「『雌性先熟』と呼ばれるシステム」とある。これでは、その内容が具体的ではないので正答ではない。それで、どういうシステムなのかがわかりやすく書かれている部分を探すと、「雌花のほうが先に咲き雄花は時期が遅れて咲く」が見つかる。

(2)□の前後の段落の内容が、どのような関係でつながっているかを考える。□の前の段落には、植物が複雑なシステム（雌性または雄性先熟と呼ばれるシステムや自家不和合性と呼ばれるシステム）を発達させ、他殖を優先させているとある。ここで、他殖を優先させているのは、利点があるからだということを読み取っておく。□のあとには、「他殖には欠点もある」と続いているので、前で述べた内容と反対の内容となっている。したがって、逆接の接続語があてはまる。

ポイント 接続語には、段落と段落との関係をはっきりさせる働きもある。そういうときは、直前の段落全体の内容をとらえて、あとの段落とどんな関係でつながっているかを考える。

17 論説文③

本文P.39

〈まとめ〉書き手の思

〈サクッと確認〉欧米では一

1 (1)近代の人間

(2)弁証法

解説

1 (1)まず、——線①中の「そのこと」が指している内容を捉える。活字文化によって隠れてしまってきたことは何かを、指示語より前に書かれている内容から考えると、「知的活動として話すことはきわめて重要なものである（ということ）」だとわかる。これを押さえて、話すことが重要であることを活字文化が隠してしまった理由を、ⓐの部分から読み取る。このとき、活字文化と話すことについて述べている部分に着目して見ていくと、「近代の人間は、日本だけでなく、どこの国においても、活字の方が話すことばより、高級であるという考え方にとらわれている。」が見つかる。活字文化が高級という考え方のために、話しことばが重要であることが隠れてしまってきたことがわかる。

(2)——線②を含む一文に着目する。この一文は、「これ」について、「個人的なことば」と対比して、「コミュニケーションをベースにしていて創造的である」と述べている。つまり、「これ」の指すものを、筆者は「創造的」だといって評価しているのである。そこで、「これ」が指す内容を探すと、その直前に、「弁証法」とあるのが見つかる。

ポイント ——線部や——線部の直前に指示語がある場合は、まず、指示語が何を指しているかを捉える。

18 論説文④

本文P.41

〈まとめ〉セレンディ

〈サクッと確認〉前提になっ～体を再構築

1 (1)a相手や周囲の状況

b例なれなれしくしてはいけない相手には敬語を使った会話をし、親しくなるにつれてうち解けた言葉遣いや敬語を使わない会話をする（59字）

解説

1 (1)この文章では、敬語を身につけていく上では二つの基本があると話題を提示し、「第一の点」「第二の点」に分けて詳しく説明している。この設問文には「対等・水平の関係の人」とあるので、「第二の点」に関する内容である。敬語をどのように使い分けるかについては、「例えば」から始まる段落で説明しているので、この段落の言葉を使って答えを導く。

a 対等・水平の関係の人に対して敬語を使うとき、何を考慮すればよいかを考える。敬うべき人にだけ使うものではないので、「相手や周囲の状況」を考慮し、タイミングを計ればよいということを読み取る。

b どんなことを考慮して使い分けるのかを考える。

・「なれなれしくしてはいけない間柄」…「敬語で距離を保つ」

・「親しくなるにつれて」…「うち解けた言葉遣い、敬語を使わない会話」

この点をとらえて、b の直後の「というように」に自然に続いていく形に、六十字程度にまとめる。

ポイント 設問を解く前に、この文章がどんな構成になっているかを捉える。そのうえで、この設問を解くにはどの段落に着目すればよいかを考えて取り組む。

サクッと入試対策 ⑦

本文P.43

1 (1)①ウ ②ア

(2)例伊勢神宮では神殿が二十年ごとに建て直されること。(24字)

解説

1 (1)①空欄の前後の文のつながり方に着目する。[①]の前では、実際にもとの建物が失われてしまったら、美術館に収められたコピーが過去の有様を伝える唯一の貴重な証言となってしまうことが述べられている。[①]のあとでは、記録的、資料的、教育的価値はきわめて大きいと言ってよいと述べていて、前の文の内容に対する結果になっている。原因・理由→結果というつながりなので、順接の接続語を選ぶ。

②直前の段落で述べている、パリの美術館に収められている「二十世紀のコピー」の内容と、あとの段落で述べている伊勢《いせ》神宮の建て直しの内容がどのような関係でつながっているかを読み取る。[②]の前では「二十世紀のコピー」はもとの価値を持つことは出来ないと述べていて、[②]のあとの伊勢神宮の話では、「コピーこそが本物である」と述べている。[②]の前後の内容は反対の内容となっているので、逆接の接続語を選ぶ。

(2)――線③のあとに「本物がいたんできたからコピーで間に合わせるというものではない」と述べていることに着目する。伊勢神宮ではどのようにしていることをこう言っているかを、指示語の前から捉え、「……こと。」という形でまとめる。

ポイント 指示語の問題では、答えたあと、指示語の部分にあてはめて文の意味が通じるかどうかを確かめる習慣をつける。

サクッと入試対策 ⑧

本文P.44

1 (1)たしかに以

(2)a 課題を設定する能力

b 創造力

解説

1 (1)――線部と同じような内容が、「たしかに」から始まる第三段落に、「そうした時代には、決められた設問に正確な解を素早く出す学習法が有効だったのは事実」という形で出てくる。この部分に「そうした時代」とあるので、有効だったのは、どのような時代だったかを直前の文から読み取る。「ほかの人の成功事例をマネすることが、成功への近道だった時代」だとわかる。こういう時代がたしかにあったことが根拠になって、――線部の学習法が重視されていることを捉える。

(2)筆者は、いまの時代は、「ほかの人の成功事例をマネすることが、必ずしも自分の成功を約束するものではなくなった」と述べている。それなら、これからの時代は何が必要なのかを、筆者は、「しかし」で始まる段落以降、最後の二段落で述べている。

最後の二段落に着目すると、筆者は「大切なのは、やはり創造力」と述べていることをとらえる。この「創造力」は、bにあてはまる。aは、失敗を避けては培《つちか》うことができないものだから、最後の段落に着目して「自分で課題を設定する能力」であることを捉えて抜き出す。

ポイント 本文中で筆者が主張していることを捉えるときには、結論の部分がどこにあるかに着目して、筆者の考えを読み取る。結論は、普通、最後にあることが多い。

19 小説①

本文 P.45

〈まとめ〉エ

〈サクッと確認〉心地よさ

1 (1)イ

解説

1 (1)文学的文章の読解では、場面の把握が重要である。――線部を含む場面は、五歳の純一《じゅんいち》、三歳の翔《しょう》との遊ぶ約束を忘れ、家に来た二人を追い返してしまったミオが、約束を思い出し、罪の意識を持ちながら、二人が預けられているおばちゃんの家に向かっている場面であり、この場面の把握を前提に、各選択肢の内容を検討していく。**ア**は「自分も何らかの罰を受けることになるかもしれないと、強い恐怖を感じている」とあるが、純一や翔に対する罪悪感に触れず、自分の身ばかりを案じているので不適切。**イ**は――線部の前後で純一と翔の様子を思い浮かべており、二人に対する罪悪感が「会わずにはいられない」と表現され、「焦《あせ》っている」という心情が「早足になる」という様子にもつながっており、正答となる。**ウ**は「その危険を早く取り除いてやりたい」とあるが、二人はすでにおばちゃんの家で寝入っているのであり、――線部の前後の内容は、ミオが過去の出来事を想像したものなので、不適切。**エ**は「感謝の言葉を述べたい」とあるが、この部分がミオの持つ罪悪感に合わず、不適切である。

ポイント 文学的文章では、「時（いつ）・場所（どこで）・人物（誰が）・出来事（どうした）」に注目し、場面を把握した上で問題に取り組むとよい。

20 小説②

本文 P.47

〈まとめ〉がんと頬を殴られた思いがした

〈サクッと確認〉うれしくてしかたなかった

1 (1)例自分の句で瑞穂と茜の表情が一変した様子。（20字）

(2)Ⅰ例緊張　Ⅱ例遠慮せずに意見を言う一年生（13字）

解説

1 (1)まずは設問文をしっかりと読み、「東子《とうこ》の目に映った様子」が問われていることと、二つの指定語句があることをおさえる。その上で、――線部①の前後の内容を読んでいくと、冒頭の「草笛や言葉にまとめられぬもの」は、この後の真名《まな》の発言などから東子の詠《よ》んだ句であるとわかり、その句を聞いたあとで、「瑞穂《みずほ》がはっとしたように顔を上げた」、「茜《あかね》は、一瞬ぽかんとしてから、徐々に表情をほころばせる」と、二人の表情が「一変」している様子が読み取れる。

(2)Ⅰ自分の句を真名がいいと言ってくれた場面に「東子はどきどきしてきた。きっと顔が赤くなっている」とあることから、俳句を作ることに自信がないという東子の人物像や、東子の緊張した様子が読み取れる。その後、一年生トリオの会話のやりとりを聞き、――線部②直前の「東子はやっと肩の力が抜けるのを感じた」という部分で、緊張が和《やわ》らぐ様子が表現されている。

Ⅱ東子の心情が変化するきっかけとなった直前の出来事は、一年生トリオの会話である。理香《りか》が先輩の句に触れたり、夏樹《なつき》が理香に抗議していたりと、遠慮のない、活発な「意見」の交換が行われている。

ポイント 心情の把握は「出来事→心情→言動や様子」という流れを意識する。心情の変化は、直前の出来事がきっかけになる。

21 小説③

本文P.49

〈まとめ〉子供たちと一緒に、真顔で歌って踊る三人

〈サクッと確認〉「こんな僕

1 (1)Ⅰ圧倒的な印象

Ⅱ句歴の浅い高校生がひねりや工夫なしに掴み取った表現

(2)にもかかわ

解説

1 (1)Ⅰ――線部①中の「あの句」とは、「でも本当に好きだった」と詠《よ》まれた句を指していると考えられる。――線部①を含む部分のほかに、冒頭の会話文も同じく富士《ふじ》の発言なので、その部分を見落とさないように注意する。

Ⅱ「試合には勝ちましたが、だからと言って今日の閉会式で最優秀賞に輝くとは思いません」と述べていることから、富士は、「でも本当に好きだった」という句に対し、評価しながらも否定的な考えを持っていると考えられる。Ⅱはその否定的な考えに対応する部分である。

(2)富士の話した内容をとらえる。富士は、「でも本当に好きだった」と詠まれた句が、客席にいた人の共感を呼んだことを認めながらも、「句歴の浅い高校生がひねりや工夫なしに掴み取った表現」であり、「努力や研鑽《けんさん》が窺《うかが》われる句」ではないと述べている。にもかかわらず、この句が客席にいた人の共感を呼んだのは、「受け取る側」に「自分の都合なんか……見つめた記憶」や「『でも本当に……やるせない体験」があるからだ、とその理由を述べている。

ポイント 小説であっても、本文中に書かれている表現を手がかりにして、論理的に考えて解く。

22 小説④

本文P.51

〈まとめ〉ア

〈サクッと確認〉ウ

1 (1)イ

(2)ア

解説

1 (1)直後に「がんばって大きくなろうとしているのに間引いちゃう」と続いている。**ア**の「めったに」は「～ない」という打ち消しの意味を伴う用法が一般的で、**ウ**の「まるで」は「～ようだ」というたとえの意味を伴う用法が一般的で、**エ**の「どうせ」は「～ても」という仮定逆接の意味を伴う用法が一般的である。

(2)「かなちゃん」と「おハルさん」の会話の内容から考える。受け取った小さなニンジンがちょうど自分くらいだと言われたかなちゃんが、そのニンジンを「自分だと思って、一生懸命食べます」と言うと、おハルさんが真剣な様子で、かなちゃんのことをほめている。この会話のやり取りから、「命」の重さを感じ取ったかなちゃんには、「手に持った小さいニンジンが、急に重く感じられた」のである。この「命」の重さという内容が、この文章の主題といえるものであり、その内容を含む**ア**が正答。**イ**は「おハルさんにたしなめられた（＝注意された）」という部分が不適切。**ウ**は「落胆している」が不適切。**エ**は「おハルさんにほめてほしいために」という部分が不適切。

ポイント 会話のやり取りや、主人公の心情を表現した部分から、文章の主題を読み取る。

23 随筆

本文 P.54

〈まとめ〉しかし、日

〈サクッと確認〉学校～こと

1 (1) 例 耳の中で鳴る音や血液の流れる音が聞こえると、自分が自分の中に折り畳まれるような圧迫感や、叫んでもだれにも助けてもらえないのではないかという感覚を覚えるから。

解説

1 (1) 随筆文は、筆者の体験や見聞といった事実をもとに、筆者の心情や考えを述べている文章である。この問題では、——線部が筆者の考えを表し、その理由が問われているので、考えのもとになった事実として、筆者が無響室に入ったときの体験が書かれた第三段落に注目する。まず、——線部の「自分が生きていることを証明するはずの自分の音」という表現が「耳の中がじーんと鳴る音や血液の流れる音」という表現と対応していることをおさえる。さらに、——線部の「自分を狂わせる」という表現が「もしこのままずっと無響室に置き去りにされたらそのうち頭がおかしくなってしまう」という表現と対応していることをおさえた上で、「頭がおかしくなってしまう」ことの理由として、「自分がまるで自分の中に折り畳まれたような圧迫感」、「わーっと叫んでもだれにも助けてもらえないのではないか。そんな恐怖に襲われる」という部分を解答に用いる。

ポイント 筆者の体験や見聞といった「事実」と、心情や考えといった「感想」の部分を読み分け、どんな事実がどんな感想に結びついているのかを捉える。

サクッと入試対策 ⑨

本文 P.55

1 (1) イ

(2) 例 扇面に描かれた蘭もよく、いつも持ち歩くほど気に入っていた（28字）

解説

1 (1) ——線①でのひさしの心情は、冒頭で「頭から冷水を浴びせられたようだった」と表現されており、扇子を裂いたという父親の行動によって生じた心情であることから、**イ**が正答である。**ア**は、「その蘭を、いいと思わないかと言ってわざわざ父親に見せられた」とあるのは過去のことであり、扇子はすでに裂かれているので不適切。**ウ**は、父親の行動に一切触れていない点で不適切。**エ**は、——線①のあと、細くなった扇子の骨を歯に当て、痛みが和らいだあとのものであり、——線①の理由としては不適切である。

(2) 父親が惜し気もなく裂いた扇子が、父親にとってどのようなものだったのかを問われている。冒頭の一～四行目に「その扇子は、亡《な》くなった祖父譲りのもので、父親がいつも持ち歩いているのを知っていたし、扇面には、薄墨で蘭《らん》が描かれていた。その蘭を、いいと思わないかと言ってわざわざ父親に見せられたこともある」とあるので、この部分を使って解答をまとめていく。□の直前に「亡くなった祖父に譲り受けた大切なもの」とあるので、それ以外の内容として、「いつも持ち歩いている」ことと「扇面の蘭をいいと思う」ことの二点に触れ、そこから導かれる「気に入っていた」という父親の心情を補ってまとめる。

ポイント 「言動や様子」の理由は「心情」が中心で、「心情」を読み取るためには「出来事」に注目する。「出来事→心情→言動や様子」の流れを捉える。

サクッと入試対策 ⑩

本文 P.56

1 (1)人は確かに
(2)1大地と水と太陽　2謙虚

解説

1 (1)――線部「それがすべてではない」には指示語が含まれているので、「それ」が指す内容を考える。すると、直前の「彼（＝種を蒔《ま》いた人）が作物をつくったということ」を指しているので、このことを「すべてではない」と筆者が言う理由を考える。□の直前に「現象には多様の因果が必要で」とあるが、この部分は、――線部直後の段落で「水分と温度」や「太陽の光や肥料分」を挙げながら、「一粒の米を育てるためには、多様の因果が必要だ」と述べている部分に対応しているので、さらに読み進めていく。すると、「人は確かに一部を担《にな》っているのかもしれないのだが、一部しか担っていない」という表現にたどり着く。

(2)1まずは□のあとの表現をよく読み、何がなければ人は生きていくことができないのかが問われていることをおさえる。文章の前半に「そこで人は生きていくことができるのだ」といった表現があり、ここでの「そこ」が指すものが答えになる。

2 1と同様に□の前後の表現をよく読み、人はどうあるべきかという筆者の考えが問われていることをおさえる。最終段落冒頭に「このように考えると」とあり、この段落がそれまでの内容をまとめ、筆者の考えを明確に示す役割を果たしていると考えられる。

ポイント 随筆文の筆者の考えは、文章の後半にまとめられていることが多い。「このように」で始まる段落や、「～なければいけない。」といった文末表現にも着目する。

高校入試模擬テスト ①

本文 P.60

1 (1)ア
(2)ア
(3)パパは困ったような顔で笑うだけ

2 (1)例表示が掲げられていました
(2)イ→ア→エ→ウ
(3)エ
(4)例うかがった
(5)例日本の食品ロス量の約半分を家庭系が占めているため、私たち自身の工夫により食品ロス量を減らすことができます。

3 (1)事を好む者は
(2)イ
(3)エ

4 (1)散策
(2)耕
(3)くわだ
(4)ひんぱん

解説

1 (1)終業式の日とキャンプ初日における、パパの言動の違いに着目する。終業式の日は「圭太は誤解されやすいタイプなんだよなあ」と笑っていたパパが、キャンプ初日には、圭太に「そういう笑い方やめたほうがいいぞ」と言い、「パパ、バカにされたような気がしちゃうんだよ」と自分の気持ちを伝えている。ここから、圭太の笑い方を不快に感じたパパが、終業式の日とは異なり、圭太は自分の態度を見直したほうがいいという気持ちになっていることを押さえる。圭太は「誤解されやすいタイプ」なのではなく、本当に周囲の人たちを不快にさせているのではないかと考えたパパは、圭太の言葉に「そうだな」と同意できなかったのである。

(2)――線②は、「この笑い方がだめなのかな」と気づいたために起きた変化であることから考える。「この笑い方」とは、パパのリュックに入っていた仕事の書類を見たときに思わず出た笑い方のことであり、「だめなのかな」とは、つい先ほどパパに「そういう笑い方やめたほうがいいぞ」と言われたことを思い出した圭太の考えである。圭太は、自分の笑い方が人から誤解を招く原因になっているのだと気がついたので、笑っていられなくなったのである。

(3)「やむなくやりとりを諦めた『パパ』の様子」を示した表現が入ることから、圭太とパパの会話が続かなくなった場面に注目する。圭太の「ぼくってさあ、誤解されやすいタイプなんだよ、きっと」という言葉に対して、パパは「そうだな」と返事をすることができず、「困ったような顔で笑うだけ」で、何も返事をしなかった。そのようなパパの様子を受けて、圭太は「気詰まりになって」テントに戻ったことで、ここで会話が途切れていることを押さえる。

2 (1)「掲げる」という動作を表す動詞を、受け身の助動詞「れる・られる」を用いることで受け身の表現に改める。その表現に合わせて、「表示を」の部分も改める。

(2)□の直前の一文に、「食品ロスという言葉は、どのような意味で使われているのでしょうか。」という問いかけがあることから、その答えである**イ**が最初となる。また、**ウ**と**エ**が具体的な数値をデータとして示していることに着目し、二つのデータを比べたことを紹介している**ア**を二番目とする。そして、**ウ**と**エ**の最初にある「次に」「まず」という言葉にしたがって、**エ**を三番目、**ウ**を四番目とする。

(3)――線②と同じような意味になる慣用句は、**エ**の「肩身が狭い」である。**ア**の「歯が立たない」は「自分の力ではとてもかなわない」、**イ**の「頭をかかえる」は「どうしたらよいか分からず困り果てる」、**ウ**の「耳に逆らう」は「聞くと不愉快に感じる」という意味の慣用句である。

(4)「聞いた」のは、この原稿をまとめている「給食委員会の委員長」である。したがって、「栄養士」に対する敬意を表すには、自分の行動をへりくだって表現することで相手への敬意を表す謙譲語を用いる。「聞く」の謙譲語である「うかがう(伺う)」「お聞きする」などを用いたうえで、――線③と同様、過去の意味を表す助動詞「た」を続けて答える。

(5)「一文」で書くという指示に注意する。(※)のあとのⓐの部分では、「私たち中学生ができる具体的な方法」として、「買い物」や「調理」のときといった家庭での行動が取り上げられていることに着目する。まず、家庭での行動に話をつなげるために、図から「家庭系」の食品ロス量の特徴を読み取る。そして、「日本の食品ロス量の約半分は家庭から出るものである」ことや「日本では家庭の食品ロス量は事業系の量とほぼ同じである」ことなどを、一つ目のポイントとして盛り込む。次に、ⓐの初めにある「そのために」に着目し、栄養士から聞いた三つの方法は何のためにする行動なのかを述べる。ⓐの部分で具体的に挙げられた行動は、家庭での食品ロスを減らすためにできることなので、「私たち一人ひとりの心がけで食品ロス量を減らすことができる」ことや「食品ロス量を減らすには各家庭での取り組みが必要である」ことなどを二つ目のポイントとして盛り込み、それらを簡潔にまとめて一文を完成させる。

3 (1)まず、返り点に着目する。レ点はすぐ上の字に返ることを表すので、「事→好→者」の順番に読む。次に、送り仮名を歴史的仮名遣いのままひらがなに直し、それぞれの漢字に続けて書く。

(2)「善く游ぐ者」「善く騎る者」と、他の人よりも優れた人を例に挙げた内容であることから、——線部の「争ふ」も「他の人よりも上に立とうとする」や「勝とうとする」というような意味になると考えられる。よって、「利益を勝ち取ろうとする者」とある**イ**が正解となる。

(3)泳ぎと乗馬の例を示したあとで、「各其の好む所を以て、反つて自ら禍を為す（=人は皆、自分が得意とすることで、かえって自分で災いを引き起こしてしまうのだ）。」と筆者がまとめていることに着目する。

【現代語訳】

そもそも泳ぎの上手な者は溺れ、馬に乗るのが上手な者は落馬するものである。人は皆、自分が得意とすることで、かえって自分で災いを引き起こしてしまうのだ。よって、得意とすることがある者は必ず傷つくことになり、利益を勝ち取ろうとする者は必ず行き詰まることになる。

4 (1)「散策」は、特に目的もないまま、散歩のようにぶらぶらと歩くことを意味する。

(2)「耕」の音読みは「コウ」で、「農耕」「耕作」などの熟語で使う。

(3)「企」の音読みは「キ」で、「企画」「企業」などの熟語で使う。

(4)「頻」も「繁」も、数量や回数が多いことを意味する漢字である。

ポイント 資料やグラフの読み取りでは、はっきりとわかる特徴に着目する。特に、数値の変化や比較を意識することが重要。2の(5)では、「家庭系」と「事業系」の食品ロス量を比較したうえで、あとに続く本文の内容をもとに着眼点を絞る。

高校入試模擬テスト ②

本文P.64

1 (1)ウ (2)ア

(3)例（文化の）変化や多様性に、注意と関心と、さらには尊敬を払い、自分の立場と、他の立場にいる人びとの主張とを常に見比べる（ことが必要だと考えている。）(53字)

2 (1)ア

(2)世の人〜る人ぞ

(3)とうとき

(4)a きそうきそう　b 例 呼び捨てにされている (10字)

c 後の世

3 ウ

4 ア

5 (1)へだ　(2)しんく　(3)招待　(4)清潔

解説

1 (1)□の前後の内容を押さえ、その関係性を捉える。「自分たちにとって当たり前のこと」と『文化』が、「日本に住んでいない人」と「その文化を学びとった人以外の人びと」が、それぞれ似た内容の言い換えとなっていることから、□の前後の文はともに、自分たちの「文化」は、他の文化の人びとにとっては少しも当たり前ではないということが述べられていることを捉える。したがって、言い換える働きを持つ**ウ**「つまり」が入る。

(2)——線①の「困った問題」については、次の文の初めにある「それは」に着目して、そのあとに詳細が書かれていることを押さえる。そこで書かれている内容の結果として、同じ段落の最後で、「文化の一部を互いに批判し合」い、「その文化を担っている人間までも、批判し、否定し、憎んでしまうこと」になるとまとめられている。これらの内容を踏まえた**ア**が適切である。

(3)――線②を含む段落の二つ前の段落の最後では、お互いの文化への批判や憎しみが生まれることが述べられている。それを受けてそのあとの段落の初めには、「そういう状態にならないためには、どうすればいいのでしょうか。」とあり、解決方法が述べられている。よってそのあとの内容から、「相手を頭から否定したり憎んだりしない」ために必要なことを捉える。まず、文化の「変化や多様性に、注意と関心と、さらには尊敬を払うことが必要です」とあるので、ここが一つ目のポイントになる。次に、「自分の立場と、他の立場にいる人びとの主張とを常に見比べること」で、自分の考えがわかるようになり、それによって互いに対立した時でも相手を否定したり憎んだりしなくなるという、――線②に至るまでの展開を捉える。したがって、「自分の立場と、他の立場にいる人びとの主張とを常に見比べること」も、「相手を頭から否定したり憎んだりしない」ために必要なことであるため、ここが二つ目のポイントとなる。これら二つのポイントを踏まえ、書き出しやあとに続く言葉とつながるように、字数に注意してまとめる。

2 (1)関先民の家に、関先民と筆者が二人でいる状況であることを押さえる。筆者が発した「誰がかきし。」という質問に対して返答していることから、筆者以外の人物、つまり関先民が答えているとわかる。また、次の会話文の直前に「先民また言ふ」とあることからも、関先民が答えていることが読み取れる。

(2)まず、――線②「問ひ給ひしに」のあとに書かれている内容を押さえる。「これは宋の世の徽宗皇帝と申す天子におはします」と答えていることから、――線②の直前にある「きそうとはいづくいかなる人ぞ」が、大猷院の言葉であることがわかる。次に、大猷院は、「御近臣を召して（＝臣下の者をお呼びになって）」から、この御近臣に対して問いかけていることが読み取れるので、大猷院の言葉は「世の人……いかなる人ぞ」までとなる。

(3)現代仮名遣いに直すとき、助詞と語頭以外の「は・ひ・ふ・へ・ほ」は「わ・い・う・え・お」になるので、「たふ」は「たう」となる。ただし、「ア段＋う」の音は「オ段＋う」の音になるというきまりがあるため、「たう」を「とう」とする必要がある。

(4)大猷院が鷹の絵をかくことをやめようとした理由について話し合っていることから、「予は今日よりして鷹の画かくことをやめぬべし」から始まる大猷院の言葉に注目する。[a]には「世間の人たちの言葉」が入ることから、「世の人きそうきそうと呼び捨てぬれば」の部分に着目し、「きそうきそう」を抜き出す。また、「きそうきそう」という呼び方は、徽宗皇帝の名前が世間の人たちから呼び捨てにされたものであることから、[b]にはそのことを踏まえた内容が入る。[c]のあとの「同じような扱い」とは、世間の人たちから名前を呼び捨てにされている徽宗皇帝と同じような扱いということである。この内容は本文中では、「予がかきつる画も後の世にはかかるたぐひにやなりなん（＝私がかいた絵も後の世ではこのような扱いになるのだろうか）。」の部分にあたる。したがって、このまま鷹の絵をかき続けていくと、いずれは「後の世」の人から呼び捨てにされると大猷院が考えていたことがわかる。

【現代語訳】

最近（私が）関先民のもとを訪問した時、（先民は）たいへん古びた巻軸で、紙が所々破れた絵を（私に）見せた。白い鷹の図である。（そこには）名前もなかったので（私が）「誰がかいたのか。」と聞いたところ、（先民は）「これは以前縁のある人がくれたとても由緒《ゆいしょ》正しいものであるが、大猷院様がおかきになったのである。」と言う。この君（＝大猷院）が絵をこれほどまですばらしくおかきになるとは、(私は)考えたこともなかったので、珍しいと思ってしばらくの間見つめていると、先民がまた言うには、「この君は鷹の絵がとりわけお上手でいらっしゃったと聞いたのだ。しかし、（この絵の）あとにはまったく絵をおかきになっていない。そのわけは、ある時に（大猷院が）臣下の者をお呼びになって、世間の人は鷹の絵といえばきそうきそうと言っているようだが、きそうというのはどこのどのような人かとお聞きになったので、（臣下の者が）『それは宋の徽宗皇帝と申す君主でいらっしゃいます。』とお答え申し上げたため、（大猷院は）『私は今日から鷹の絵をかくことをやめてしまおう、世間の人がきそうきそうと呼び捨てにしていたので身分の低い人と思っていたが、私がかいた絵も後の世ではこのような扱いになるのだろうか。』とおっしゃって、これからあとはまったく絵をおかきにならなかった。」と（いうことだ）。とても尊いお考えであったことだ。

3 ――線部の「ない」は、「ぬ」に置き換えることができることから助動詞であることがわかり、助動詞はそれだけで一単語となる。したがって、同じ働きをする**ウ**が正解。**ア**の「ない」は、形容詞「切ない」の一部。**イ**と**エ**の「ない」はそれだけで一単語となるが、「ぬ」に置き換えられないことから、形容詞であることを押さえる。

4 「反論」は「反対の↓論」と、上の字が下の字を修飾している。同じ構成なのは「入る↓口」となる**ア**である。**イ**は「学校へ登る（＝行く）」という、上の字が動作、下の字が目的や対象を表す熟語。**ウ**は「建てる」「築く」という似た意味の漢字を組み合わせた熟語で、**エ**は「着る」「脱ぐ」という反対の意味の漢字を組み合わせた熟語である。

高校入試模擬テスト ③

本文P.68

1
(1) 例 （絵画は）原則的に世界中でただ一つしか存在しない事物を描く（ものであるから。）（24字）
(2) ア
(3) ウ

2
(1) いつにも増して、入念に勢い止めの中
(2) 例 (雨鱒の頭上で、)ヤスの切っ先の狙いがピタリと定まり、あとはいっきに突けばよいところまで追い詰めたことにより、次は必ず仕留めることができると思えたということ。（70字）
(3) ヤスの重さ

3
(1) や
(2) 季語…万緑
季節…夏
(3) イ・カ

4
(1) エ
(2) むかい
(3) ウ

解説

1 (1) 文字とは異なる絵画の特徴が入るため、絵画と文字の違いを押さえる。文字については、――線①を含む段落の次の段落で「指し示す実体に対する普遍性が要求される」と述べ、「魚」という漢字を例にして、「特定の魚」ではなく「世界中のあらゆる魚類」を指し示す必要があると説明している。このような文字に関する内容と対比された形で絵画につい

て述べている部分に着目し、——線①の次の文を押さえ、「世界中のあらゆる」事物を指し示す文字とは異なり、「世界中でただそれ一つ」のものを描いたのが絵画なのであることを捉える。この部分の内容を空欄の前後とつながるようにまとめる。

(2) Xの直前の段落で挙げられた「山」という漢字の例を受けて、Xの段落では、「事物のもっとも端的な特徴を抽出し、具体的かつ『絵画的』に描いたものを象形文字という」と述べて議論をまとめている。また、——線①で「絵画」と「文字」が異なることが述べられていたが、Xの段落でも、「象形文字」は「絵画そのものではない」と、「文字」と「絵画」が異なることが述べられている。このことから、これまで述べてきたことの「内容を整理」し、「文字」と『絵画』との差異を改めて明確にしている」とある**ア**が適切である。

(3) Xの段落での「象形文字」についての説明をもとに考える。「目に見える実体のある事物」から抽出した特徴を「具体的かつ『絵画的』に描いたもの」という点を踏まえたうえで、「雲から水滴が降ってきている様子」を「描いて示す」とある**ウ**が適切である。**ア**は指事文字、**イ**は形声文字、**エ**は会意文字の例である。

2 (1) 心平がどのようにして雨鱒を探していたのかということを捉える。[ ]の前の「よく眼をこらし」は、本文第一段落の「よく眼をこらして、しばらく眼がなれてくるまで水中をみていないと、よくみえなかった」に対応しており、[ ]のあとの「対岸の森の方へ移動し」は、本文第二段落の「そうやって、丸太を組んだ升目のひとつひとつを水門の方から対岸の森の方へと移動した」の部分に対応していることを押さえる。その間に書かれている本文の内容から、心平がどこを探っているのかを読み取る。

(2) 設問文から、「心平が、どのような雨鱒捕りの経験をした」のかということと、その経験から、心平は「どのように思えた」かということの二つのポイントを押さえてまとめる。まず、心平の「希望と自信」につながる雨鱒捕りの経験としては、雨鱒を捕獲寸前まで追い詰めたことが挙げられる。本文ではそのことについて、「雨鱒の頭上で、切っ先の狙いがピタリと定まった。あとはいっきに突けばよかった」とある。この部分をもとに、「雨鱒の頭上で、」という書き出しに続けて、狙いを定めたヤスでいっきに突けばよいところまで追い詰めることができたということをまとめるのが一つ目のポイント。次に、そこまで雨鱒を追い詰めることができたことで、心平が「もう少しのところまで追い詰めたことがうれしかった。次の機会にはきっと仕留めることができる」と思っていることが、——線②の直前から読み取れる。心平のこの思いが、——線②の「希望と自信」につながっているため、次はきっと仕留めることができると思えたということが二つ目のポイント。これら二つのポイントを押さえたうえで、字数に注意しながら簡潔にまとめる。

(3) 「心平の緊張が最も高まっているとき」と「解けたとき」の二つの場面で感じ方が変わっているものを捉える。心平が雨鱒を突く体勢が整った場面では、「口が渇いて、ドキドキする心臓の、大きくて早い鼓動だけが感じられた」とあり、緊張が高まっていることがわかるが、緊張はしているものの、このときには「もうヤスの重さは感じていなかった」とある。一方、雨鱒に逃げられたあとでは、「緊張がとけていった」という心平の心情に続けて、「急にヤスが手に重くなった」とある。心平はどちらの場面でもヤスを持っていたが、緊張が高まっているときはヤスの重さを感じないほど集中しており、緊張が解けると、自分がヤスを持っていることを思い出したかのようにヤスの重みを感じている。つまり、心平の緊張度の変化は、「ヤスの重さ」の感じ方の変化によって描かれているのである。

3 (1)「切れ字」とは、句の調子に切れ目を作ることで、そこに作者自身の感動や詠嘆などの思いが込められていることを示す文字のことである。切れ字には「や・かな・けり・ぞ」などがあり、この俳句では「や」を用いることで感動を表している。

(2)「万緑」とは、一面に緑が生い茂る様子を表した言葉であり、夏の季語である。

(3)「万緑の中や」という切れ字の部分までと、それ以降の部分に込められた心情をそれぞれ捉える。切れ字を用いることで、緑が力強く生い茂っている様子に感動を覚えていることが読み取れる。したがって、「自然の生命力」や「感動」とある、**カ**が適切である。また、「吾子」とは自分の子どもを指す言葉であり、我が子に初めて歯が生えたことへの感動も込められていることが読み取れる。よって、「我が子の成長」について触れた**イ**も適切である。

【句意】

一面が緑に覆われる季節だなあ。(そのような季節に)我が子に初めて歯が生えてきたのだ。

4 (1)翁が大切にしていた牡丹を奉公人が踏み折ってしまった場面である。——線①の直前に「驚けど」とあることから、動揺する奉公人の心情とは反対の状況を表すような表現が解答になることを捉える。また、現代においても「なすすべもない」などと言うように、「すべ」は「手段」や「方法」のことであることから、「すべなし」は「方法がない」という意味となることがわかる。したがって、**エ**「どうしようもない」が適切である。

(2)現代仮名遣いに直すときには、語頭以外の「は・ひ・ふ・へ・ほ」は、それぞれ「わ・い・う・え・お」とする。

(3)「やつこ戯れして彼の花をふみ折りけり」とあることから、牡丹の花を折ったのは、翁ではなく奉公人である。また、花を折られたことに対して翁は「をのれは楽しびに花を植ゑ侍り。さてそれがためにいかるべきかは」と言っており、自分が楽しむために花を植えているのだから、その花のために腹を立てることはないと述べている。この二点に着目して、**ウ**を選ぶ。

【現代語訳】

貝原益軒翁が、牡丹を気に入ってたくさん植えていらっしゃった中に、他の花よりも特に気にかけていらっしゃった花があった。(その花が)少し咲き始めていた頃、翁が家にいらっしゃらないときに、奉公人が(その花の近くで)ふざけていてその(牡丹の)花を踏み折ってしまった。これは(たいへんなことをしてしまった)と驚いたけれどもどうすることもできない。そうしているうちに翁が帰宅し、すぐに(花のある)庭に来たので、奉公人はひどく汗をかいて生きている心地がしないほどであった。翁はいたっていつも通りで、二日三日経ってもまったく(怒るような)そぶりもない。人々はいっそう不思議に思った。ある人がこのことを耳にして翁に向かって、「これこれこういうことがあったと聞いた。さぞ腹立たしいと思っていらっしゃることだろう。」と言ったところ、翁は笑みを浮かべて、「私は楽しみのために花を植えています。はたしてその花のために腹を立てなければならないでしょうか、いや、腹を立てることはないのです。」と言ったということだ。

ポイント　論説文では、二つの異なる性質のものを比較・対比させながら説明する文章が多い。1の論説文では、二段落目と三段落目から、筆者が「絵画」と「文字」を異なるものとして比較していることをつかむとよい。それぞれの特徴が説明されている部分を押さえ、違いを整理して読むことが大切である。